Introducción a la Informática

Edición 2015

ANA MARTOS RUBIO

Edición española:

© EDICIONES ANAYA MULTIMEDIA
(GRUPO ANAYA, S.A.), 2015
Juan Ignacio Luca de Tena, 15.
28027, Madrid
Depósito legal: M. 19.117-2014
ISBN: 978-84-415-3610-4
Printed in Spain

Índice

I

Introducción

Si usted ha decidido entrar en el mundo de la informática sin someterse a estudios largos y complejos y sin esforzarse por penetrar un lenguaje ininteligible, éste es el libro que necesita.

Con él aprenderá de una forma muy sencilla y cómoda todo lo que necesita saber de la informática y todo lo que puede hacer con un ordenador. Después, si lo desea, podrá profundizar en los distintos recursos que las tecnologías ofrecen, pero con este libro conseguirá ya iniciarse sin complicaciones, con explicaciones cortas, claras y concisas y con ejercicios fáciles de seguir y muy ilustrativos.

Éste no es un libro para leer, sino para consultar y aprender. Ponga su ordenador en marcha, abra el libro y siga paso a paso sus instrucciones. Hágalo sin prisas, repitiendo lo necesario o saltando lo innecesario. Pronto sentirá despertar su interés hacia temas determinados de los que querrá saber más.

Nota: Recientemente, Microsoft ha actualizado Windows 8 y ha lanzado la versión Windows 8.1, que guarda algunas diferencias y numerosas mejoras respecto a la versión previa. Este libro está redactado sobre Windows 8.1.

1

UNA MIRADA AL ORDENADOR

Un ordenador es una máquina electrónica que tiene la capacidad de interpretar instrucciones y resolver problemas aritméticos y lógicos, para lo cual utiliza programas informáticos que ejecuta de forma automática.

EL HARDWARE Y EL SOFTWARE

El ordenador está formado por dos partes fundamentales: el hardware y el software.

El hardware

La parte física del ordenador se denomina hardware, una palabra inglesa que se podría traducir por materia. El hardware es todo lo que se ve y se toca en un ordenador. La caja o carcasa, las tarjetas, los cables, la pantalla, la impresora, etc.

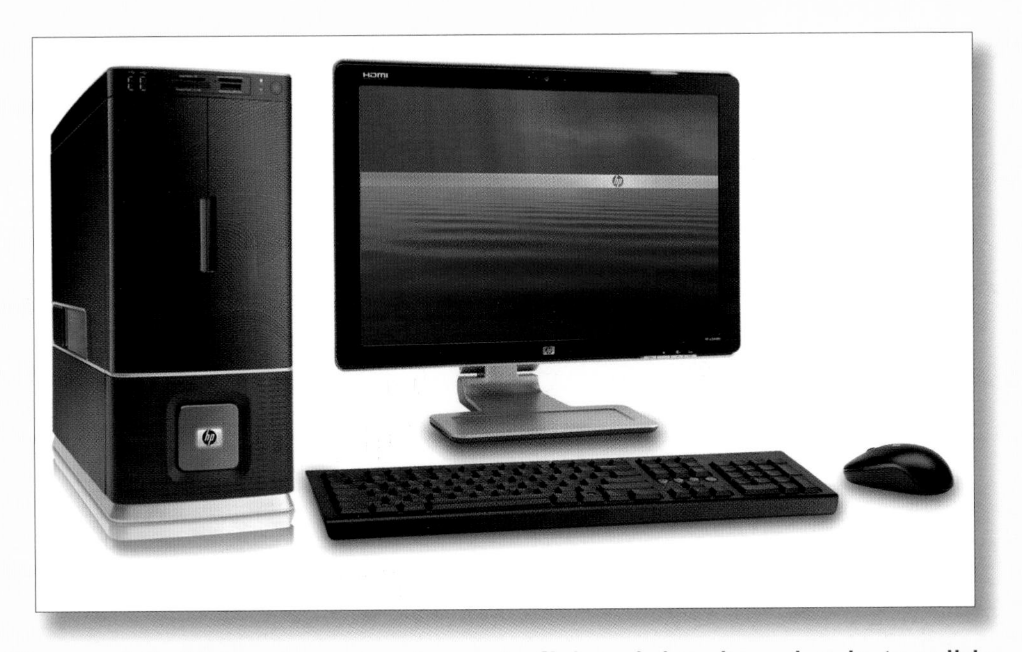

Figura 1.1. El hardware es la parte física del ordenador, lo tangible.

Pero el hardware no es capaz de funcionar ni realizar trabajo alguno. Precisa la animación que recibe de un conjunto de programas llamado software.

El software

La parte no física del ordenador, la que lo anima y le hace funcionar, se denomina software, una palabra inglesa que se podría traducir por lógica. Está comprendido en diversos programas, llamados aplicaciones, que son conjuntos de instrucciones que rigen el funcionamiento de la máquina. El software es el conjunto de aplicaciones que convierten la materia inanimada del ordenador en una máquina operativa.

Esa parte lógica intangible que hace funcionar el ordenador, el software, se almacena de forma electrónica en diferentes soportes físicos como discos, tarjetas o lápices de memoria.

Figura 1.2. El software es la parte intangible, lo que le hace funcionar.

LOS ELEMENTOS DEL ORDENADOR

Básicamente, el ordenador está formado por la unidad central y los periféricos.

- La unidad central. Su cometido es llevar a cabo las funciones de proceso y de cálculo, ejecutando las instrucciones contenidas en los programas e introducidas a través de los dispositivos de entrada. El verdadero cerebro del equipo es el microprocesador, llamado también procesador, un circuito lógico que responde y procesa las operaciones lógicas y aritméticas que hacen funcionar al ordenador.

Figura 1.3. El procesador realiza las funciones de proceso y de cálculo.

- Los periféricos. Se subdividen a su vez en:
  - Elementos de entrada. Son los dispositivos que permiten introducir información en el ordenador, como el teclado, el ratón o el micrófono.
  - Elementos de salida y almacenamiento. Son los dispositivos que el ordenador utiliza para mostrar o almacenar los resultados de los procesos realizados, como la pantalla, la impresora o el disco duro.

Dos elementos típicos de entrada y salida de información son el teclado y la pantalla. El teclado es un elemento de entrada por el que se puede introducir información en el ordenador. La pantalla es un elemento de salida por el que el ordenador muestra los resultados.

Figura 1.4. El teclado y la pantalla son elementos típicos de entrada y salida.

Los puertos

El ordenador contiene diversas conexiones llamadas puertos. Se llama puertos a los conectores externos que enlazan con distintos dispositivos, equipos o líneas. Su nombre se debe a que dan entrada o salida a la información. Sin embargo, a la hora de conectar un elemento al ordenador, no es necesario considerar si el puerto es de entrada o de salida, sino únicamente conectarlo al lugar adecuado que es aquel en el que tiene cabida exacta.

PRÁCTICA:

Observe, por ejemplo, el conector del cable que enlaza el ordenador a la red eléctrica. Puede verlo en la figura 1.5. Tiene una forma precisa, hexagonal, y tres ranuras que corresponden exactamente a la conexión macho del ordenador, situada en la parte trasera del equipo. Esta conexión tiene forma hexagonal y tres patas a insertar en las tres hendeduras del conector.

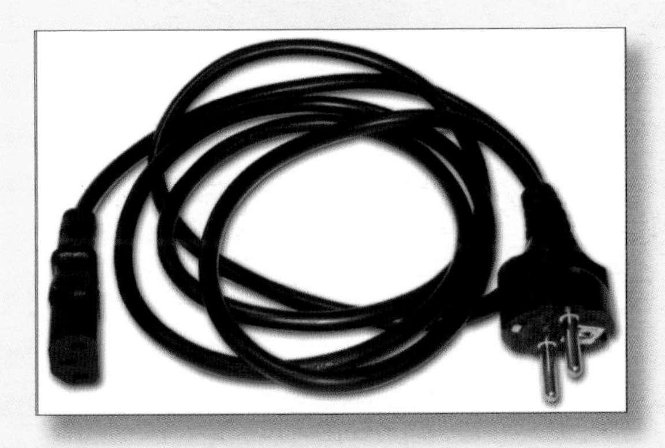

Figura 1.5. El cable que conecta el ordenador a la red eléctrica tiene una única posibilidad de conexión al equipo.

Por tanto, el cable que conecta el ordenador a la red tiene una única postura. En su otro extremo hay una clavija a enchufar en un enchufe de corriente eléctrica. Si el ordenador está encendido, no desconecte el cable. Revíselo cuando lo haya apagado.

Lo importante es insertar correctamente todos los conectores de forma que las clavijas hagan contacto. De lo contrario, el equipo no detectará la existencia del dispositivo conectado incorrectamente. Si encuentra dificultad en insertar un conector, no lo fuerce. Compruebe que lo está colocando de forma correcta y que no está girado o torcido. Si no es posible insertarlo es que ése no es su sitio.

En la figura 1.6 puede ver un cable VGA con los conectores para insertarlo en el puerto VGA de la pantalla y en el del ordenador, que aparece en la figura 1.7.

Figura 1.6. El conector de la pantalla tiene su entrada exacta en la parte trasera del ordenador.

PRÁCTICA:

El conector situado en el extremo opuesto a la pantalla tiene también su lugar preciso en la parte trasera del ordenador. Frecuentemente lleva dos tornillos que se ajustan manualmente. Pruebe a desconectarlo y volver a conectarlo.

Figura 1.7. El puerto VGA situado en la parte trasera del ordenador, en el que hay que insertar el cable de la pantalla.

En los ordenadores modernos de sobremesa, el teclado y/o el ratón del ordenador se suelen conectar a un puerto USB o bien de forma inalámbrica, como veremos a continuación.

En los equipos más antiguos, pueden conectarse a la parte trasera del ordenador utilizando sendos puertos con forma similar aunque con diferente color, cada uno de los cuales muestra un pequeño icono para indicar su función y facilitar su reconocimiento.

Si dispone de altavoces y micrófono, podrá comprobar que se conectan mediante una clavija similar y que a cada uno corresponde un puerto del ordenador, también de características similares. Si hay tres puertos iguales, aunque con colores diferentes, el tercero corresponderá a los auriculares.

En este caso, la entrada del micrófono suele estar indicada por la palabra *Phone*, por la palabra *Mic* o por un icono que representa un micrófono. La de los auriculares suele estar representada por la palabra *Speaker* o el símbolo Ω. El puerto correspondiente a los altavoces suele llevar la indicación *Line-Out*. Si hay un cuarto puerto para conectar un equipo de sonido o un televisor, la indicación más probable será *Line-In*.

Las pantallas planas pueden llevar los altavoces incorporados mediante un cable que hay que conectar al puerto de los altavoces del ordenador. También existen altavoces inalámbricos, que veremos más adelante.

Figura 1.8. Cada conector corresponde exactamente a un puerto situado en la trasera del ordenador que muestra un icono para identificar su función.

Puertos USB

El USB es el puerto más utilizado, debido a su elevada velocidad de transmisión. Los periféricos se conectan generalmente a puertos USB, por lo que los ordenadores modernos vienen equipados con varios puertos de este tipo.

Los USB admiten conexiones de entrada o salida indistintamente, es decir, se puede conectar el ratón, la impresora o cualquier otro dispositivo que tenga conexión USB a cualquiera de esos puertos.

Los dispositivos digitales modernos que se conectan al ordenador, como la cámara de fotos, la cámara de vídeo, la memoria externa o el dispositivo MP3, vienen preparados para conexión a un puerto USB.

La figura 1.9 muestra dos conectores USB.

PRÁCTICA:

Observe su ordenador y compruebe el número de puertos USB de que dispone. Deberá tener tantos como aparatos deba conectar a la vez por esa vía. De lo contrario, siempre podrá adquirir un concentrador para ampliar el número de puertos, de la misma forma que se ponen "ladrones" en los enchufes de la luz.

Figura 1.9. Un conector USB se acopla perfectamente a cualquiera de los puertos USB del ordenador.

Las conexiones inalámbricas

Las tecnologías inalámbricas permiten conectar numerosos dispositivos al ordenador, como teclados, ratones, impresoras y teléfonos móviles, sin necesidad de cables.

El ejemplo más conocido de conexión inalámbrica puede ser las redes *wifi*, que conectan equipos a Internet sin emplear cables. Los ordenadores portátiles modernos vienen equipados con el dispositivo necesario para ese tipo de conexión a Internet. Los ordenadores de sobremesa no siempre los llevan incluidos, pero se pueden adquirir e instalar.

En cuanto a los conjuntos inalámbricos de teclado y ratón, tienen la ventaja de su movilidad y de que evitan tener cables sobre la mesa o tendidos entre el ordenador y estos dispositivos.

Truco: La conexión inalámbrica puede fallar en alguna ocasión. Si el teclado o el ratón no responden, pruebe a extraer el receptor del puerto USB y vuélvalo a insertar para que Windows lo reconozca. Si no funciona, reemplace las pilas por si se hubieran gastado o carecieran de potencia suficiente.

PRÁCTICA:

Si dispone de un conjunto de teclado y ratón inalámbricos, compruebe lo fácil que resulta instalarlos:

1. Coloque las pilas en los receptáculos de ambos dispositivos.
2. Inserte el receptor en un puerto USB del ordenador.
3. Con el ordenador encendido, mueva el ratón y pulse una tecla del teclado.

Figura 1.10. Un ratón inalámbrico con el receptor de radiofrecuencia que se conecta a un puerto USB del ordenador.

LOS BOTONES DEL ORDENADOR

Los botones más importantes del ordenador son dos:

- El botón de puesta en marcha.
- El botón de reinicio.

Figura 1.11. Los botones de reinicio y puesta en marcha.

El botón de puesta en marcha

El ordenador se pone en marcha con un solo dedo. Basta apretar el botón de encendido, que, al igual que muchos aparatos extranjeros, puede llevar la indicación *On*, *Power* o *Start*.

PRÁCTICA:

Encienda el ordenador, oprimiendo el botón de puesta en marcha. Si la pantalla no se enciende sola, pulse asimismo el botón de encendido de ésta.

Después de encender el ordenador y, si es preciso, la pantalla, hay que esperar un tiempo a que el equipo se ponga en marcha, mientras Windows se inicia y comprueba que todos los dispositivos están correctamente conectados.

El botón de reinicio

El botón de reinicio suele llevar la indicación *Reinicio* o *Reset*, que es su equivalente en inglés. La función de este botón es apagar el sistema y volver a ponerlo en marcha y se utiliza cuando se produce un bloqueo y el ordenador deja de responder a las instrucciones. Aprenderemos a apagar y a reiniciar el ordenador en el capítulo 2.

TIPOS DE ORDENADORES

El mercado actual ofrece diversos tipos y modelos de ordenadores, entre los cuales resulta a veces difícil decidir cuál es el que realmente se ajusta a nuestras necesidades. Veamos a continuación las ventajas y los inconvenientes de los diferentes tipos.

Ordenadores de sobremesa

Llamados también por su nombre en inglés, *desktops*, ofrecen gran potencia, flexibilidad y, sobre todo, capacidad para crecer y ampliar sus recursos, ya que admiten tarjetas de expansión y numerosos periféricos. Estos ordenadores ofrecen varios puertos USB a los que se puede añadir un concentrador para ampliar el número de puertos y admitir nuevos dispositivos.

Frente a estas ventajas, los equipos de sobremesa tienen dos grandes inconvenientes: su tamaño y su peso, que los hacen inmóviles, así como su necesidad de conexión a la red eléctrica. Los modelos Todo en uno (*All in One)* llevan la unidad central integrada en la carcasa de la pantalla formando un solo bloque que ocupa menos espacio. Reúnen algunas de las características de los ordenadores portátiles, como la pantalla táctil o el wifi, pero su diseño los hace poco flexibles a la hora de ampliarlos.

Figura 1.12. Un concentrador permite ampliar los puertos USB y conectar numerosos dispositivos externos.

Ordenadores portátiles

Llamados también por su nombre en inglés, *laptops* o *notebooks*, ofrecen las ventajas de potencia, solidez y movilidad. Los portátiles funcionan perfectamente con las mismas herramientas informáticas que los ordenadores de sobremesa, como Windows, Photoshop o Internet Explorer.

También disponen generalmente de lector/grabador de CD y DVD y de varios puertos USB para conectar una impresora, un escáner u otros dispositivos externos, además de admitir un concentrador para ampliar las conexiones.

Su inconveniente es su escasa flexibilidad. Los portátiles son más cerrados y menos flexibles y no resulta fácil ampliarlos. Lo mismo sucede a la hora de repararlos. Una avería en un portátil supone casi siempre reparar el ordenador completo, mientras que, en uno de sobremesa, es posible casi siempre reparar sólo la parte averiada.

Truco: El tamaño máximo de la pantalla de un portátil es de 19 pulgadas. Si necesita trabajar prolongadamente con un ordenador portátil, puede convertirlo en ordenador de sobremesa conectando un segundo monitor más grande (o un televisor) al puerto VGA (véase la figura 1.7). También puede conectarle un teclado y un ratón inalámbricos. Existen asimismo teclados de silicona que se venden enrollados y que funcionan perfectamente conectados a un puerto USB.

Tabletas electrónicas

Las tabletas, conocidas también por su nombre en inglés, *tablets*, son ordenadores pequeños, ligeros y fácilmente transportables, muy útiles para quien necesite desplazarse continuamente con el ordenador y utilizarlo en cualquier lugar, porque caben en cualquier sitio y se conectan a las redes de datos móviles 3G y 4G que ofrecen mayor velocidad que los *routers* domésticos empleados para conectar ordenadores de sobremesa.

Las tabletas ofrecen también la facilidad de la pantalla táctil, lo que elimina la necesidad de teclado y de ratón y, dado que el mercado se amplía constantemente, existen numerosas aplicaciones que se utilizan tanto en los teléfonos móviles inteligentes como en las tabletas electrónicas.

Frente a todas estas ventajas, las tabletas tienen también algunos inconvenientes importantes, según las necesidades del usuario. Una de ellas es su fragilidad. Físicamente, una tableta no es más que una pantalla y una caída puede suponer su fin, mientras que un portátil tiene carcasa. El portátil tiene un teclado físico y sólido, mientras que la tableta se maneja con los dedos o con un teclado virtual que se activa en la misma pantalla.

Las tabletas utilizan aplicaciones y sistemas operativos aún no consolidados, como Android, y algunas de sus aplicaciones resultan inestables. El software de los ordenadores portátiles o de sobremesa está consolidado y el de las tabletas resulta todavía inmaduro.

Por último, las tabletas carecen de reproductor de CD/DVD, lo que puede ser un inconveniente a la hora de ejecutar programas, películas o juegos que todavía se comercializan con esos soportes físicos.

Figura 1.13. Las tabletas son muy útiles para desplazarse y trabajar sobre la marcha.

Diferencias entre PC, notebook, netbook, ultrabook y tablet

Veamos también las diferencias entre los numerosos tipos de ordenadores portátiles existentes. Sus características son la guía para elegir el modelo adecuado.

- El *PC*, el ordenador de sobremesa, es el que mayores recursos y posibilidades ofrece para trabajar, frente a su peso e inmovilidad. Su capacidad lo hace ideal para trabajar prolongadamente en un mismo lugar, con numerosos dispositivos y aplicaciones. Además, es fácilmente ampliable.
- El *Notebook* es otro nombre del portátil. Ofrece prácticamente los mismos recursos que el ordenador de sobremesa, pero es más ligero, aunque menos flexible. A mayor número de dispositivos y prestaciones, mayor peso y menor duración de la batería. Es ideal para desplazarse a otro lugar de trabajo.
- El *Netbook* es un ordenador portátil más pequeño y ligero que el anterior, pero más sólido que la tableta. Está diseñado para su fácil transporte y conexión a Internet, pero su batería tiene menor duración que la del portátil, su pantalla no suele ser mayor de 10 pulgadas y carece de lector/grabador de CD/DVD. No tiene la potencia precisa para ejecutar varias aplicaciones a la vez ni muchos puertos USB para conectar dispositivos. Es ideal para el ocio móvil, para navegar por Internet en cualquier lugar y compartir documentos, imágenes o vídeos, ya que tiene un disco duro de gran capacidad de almacenamiento.
- El *Ultrabook* es la evolución de los ordenadores portátiles a un modelo mucho más ligero y transportable que reúne toda la potencia y casi todas las prestaciones del *notebook*, con un peso a veces inferior a un kilogramo. Su desventaja es el tamaño de la pantalla que no sobrepasa las 14 pulgadas,

que suele ser táctil y no precisa utilizar el teclado ni el ratón. Tampoco lleva lector/grabador de CD/DVD, pero viene equipado con un disco duro de gran capacidad de almacenamiento. La duración de su batería es bastante prolongada, unas 5 horas en funcionamiento y hasta 10 horas en reposo.

- La *tablet* se encuentra a medio camino entre el ordenador y el teléfono inteligente. Es ideal para conectarse a Internet desde cualquier lugar y para manejar y compartir música, imágenes, vídeos y juegos. Es similar al *Netbook*, pero con un teclado virtual que aparece en la pantalla. Su tamaño se halla entre 7 y 10 pulgadas. Está más enfocada a la utilización de aplicaciones que a la creación, aunque permite realizar documentos y dibujos sencillos. Es ideal para el ocio y, sobre todo, para la educación, pues existen multitud de aplicaciones escolares aptas para las tabletas.
- Existen ordenadores híbridos entre tabletas y portátiles que ofrecen gran potencia y flexibilidad, ya que son fácilmente desmontables. Tienen teclado físico completo y batería de larga duración.

ERGONOMÍA FRENTE A LOS PROBLEMAS FÍSICOS CAUSADOS POR EL ORDENADOR

El ordenador es a veces causa de problemas físicos, como tendinitis en la muñeca o en el brazo con el que se maneja el ratón, el panel o la pantalla táctil. La causa se debe a posturas inadecuadas, especialmente, a la altura inadecuada a la que se sitúan los aparatos. En todo caso, estos problemas únicamente se originan cuando se trabaja muchas horas con el ordenador, nunca cuando se hace de él un uso esporádico.

Si piensa dedicar muchas horas a trabajar con el ordenador, tenga en cuenta las siguientes normas:

- Para evitar molestias oculares, como ardor, picor o fatiga frente a la pantalla del ordenador, puede utilizar gafas con un filtro especial para las radiaciones del monitor. Cualquier óptico sabrá proporcionárselas. Es importante apartar la vista de la pantalla al menos cada media hora y parpadear con frecuencia, para aportar humedad a los ojos.
- Es mejor situar el ordenador perpendicularmente a la ventana. Si lo coloca de espaldas o de frente, se producirán fuertes contrastes de luz que son muy perjudiciales para la vista.

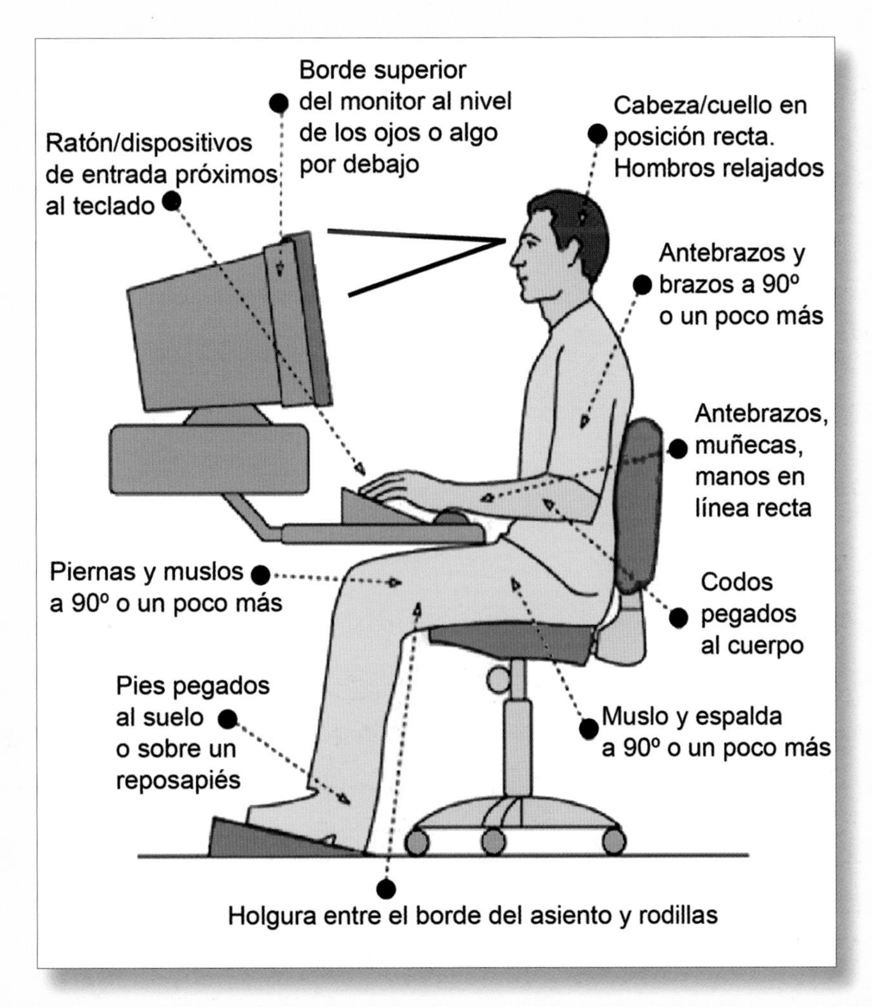

Figura 1.14. El teclado y el ratón han de situarse en un tablero más bajo que la pantalla.

- Se aconseja una distancia entre el usuario y la pantalla de entre 40 y 70 centímetros.
- Para evitar posturas inadecuadas del brazo y la mano a la hora de manejar el teclado y el ratón, éstos deberán estar situados a la altura del codo, en una mesa o bandeja auxiliar más bajas que el tablero de la mesa en que se apoya la pantalla.
- Es conveniente utilizar una silla con brazos o un reposamuñecas ante el teclado y el ratón, que permita apoyar ambas muñecas. Debe hacerse una pausa al menos cada hora para desentumecer el cuerpo y estirar los músculos.

Si utiliza un ordenador portátil, podrá evitar la tendinitis que suele producirse al mantener el brazo en alto para manejar el teclado y el panel táctil, situando el ordenador en la parte superior de la mesa y colocando un teclado y un ratón (inalámbricos o con cables) en la bandeja extraíble. De esa forma, no precisará mantener el brazo elevado para trabajar.

2

El funcionamiento del ordenador

Cuando usted oprime el botón de puesta en marcha, el equipo ejecuta Windows, el sistema operativo que lo hace funcionar. Por su parte, Windows debe realizar una comprobación de todos los dispositivos internos y externos que están conectados al equipo, para controlar su funcionamiento y su estado, verificar que las conexiones son correctas y que la situación de cada elemento es la adecuada.

ENCENDER Y APAGAR EL ORDENADOR DE FORMA SEGURA

Tras pulsar el botón de puesta en marcha, es preciso esperar pacientemente hasta que el sistema operativo realice su recorrido por todos los elementos lo que significa no tocar el teclado ni el ratón mientras transcurre ese proceso, porque lo único que se consigue es interferir con él y retrasarlo.

En el caso de que alguno de los componentes falle, bien sea de hardware o de software, Windows lo advertirá indicando la existencia del problema y, en ocasiones, señalando lo que hay que hacer para corregir el fallo. Es preciso seguir las indicaciones del programa. En muchas ocasiones, lo más práctico es pedir ayuda.

Truco: Para saber si Windows ha finalizado un proceso, como la puesta en marcha, observe el cursor. Si muestra un aro giratorio, indica que el proceso está en curso y que hay que esperar a que termine para darle una nueva instrucción.

Apague el ordenador de forma segura

Aunque Windows se ocupa de cerrar los programas antes de apagarse, conviene cerrarlos previamente haciendo clic en el botón **Cerrar**, que tiene forma de aspa, situado en la esquina superior derecha de la ventana del programa.

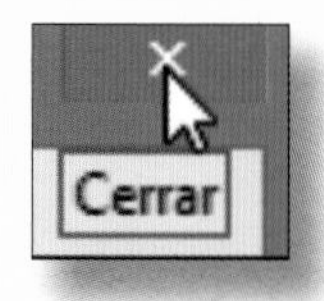

PRÁCTICA:

Para cerrar Windows y apagar el ordenador, hay que hacer lo siguiente:

1. En la esquina superior derecha de la pantalla Inicio de Windows, haga clic en el botón Reiniciar/Apagar y seleccione Apagar.
2. Si acostumbra desenchufar el equipo, espere a que se apague completamente.

Figura 2.1. El botón Reiniciar/Apagar despliega un menú.

Reiniciar Windows

Después de instalar o desinstalar un programa, suele ser necesario reiniciar Windows. A veces, el reinicio es automático, pero otras veces hay que hacerlo de manera manual. Reiniciar significa apagar el ordenador y ponerlo de nuevo en marcha para que Windows cargue nuevos programas o dispositivos.

PRÁCTICA:

Para reiniciar el ordenador, hay que hacer lo siguiente:

1. Haga clic en el botón Reiniciar/Apagar para desplegar el menú.
2. Cuando se despliegue el menú, haga clic en Reiniciar. Puede verlo en la figura 2.1.

Si hace clic en la opción Reiniciar, Windows cerrará los programas y elementos que estén funcionando e inmediatamente volverá a ponerlos en marcha sin que usted tenga que tocar botón alguno. Sólo debe emplear el botón físico de reinicio (véase figura 1.11 del capítulo 1) cuando se produzca un bloqueo y no sea posible aplicar el método normal de reinicio que acabamos de ver.

EL RATÓN Y EL TECLADO

Los dos dispositivos de entrada principales para dar instrucciones al ordenador son el ratón y el teclado.

El ratón

El ratón permite dar instrucciones al ordenador pulsando uno de sus botones. Se desplaza moviéndolo despacio sobre una alfombrilla.

PRÁCTICA:

Coja el ratón suavemente con toda la mano. Coloque el dedo índice sobre el botón izquierdo y el dedo medio sobre el botón derecho. No debe apretar.

A continuación, arrástrelo muy despacio sobre la alfombrilla y observe su movimiento en la pantalla del ordenador. Sin apretar, pruebe a colocarlo sobre los diferentes mosaicos de la pantalla Inicio de Windows 8. Si se sale de la alfombrilla, levántelo y cámbielo de sitio.

Figura 2.2. El ratón permite introducir instrucciones en el ordenador.

Un clic, una instrucción

Llamamos "hacer clic" a apretar uno de los botones del ratón sobre un objeto de la pantalla. Cada vez que se hace clic, el ordenador recibe una instrucción. Hay tres clases de clic:

- Clic con el botón izquierdo. Es lo más habitual. Consiste en apuntar a un objeto y pulsar el botón izquierdo del ratón. Sirve para seleccionar objetos o para poner en marcha los mosaicos de Windows 8.

- Clic con el botón derecho. Sirve para acceder a listas de opciones llamadas menús. Consiste en apuntar a un objeto y pulsar el botón derecho del ratón.
- Doble clic. Consiste en apuntar a un objeto y pulsar dos veces seguidas rápidamente el botón izquierdo del ratón. Sirve para ejecutar programas en el Explorador de archivos de Windows.

PRÁCTICA:

1. Haga clic sobre el mosaico Escritorio de Windows 8 para acceder al Escritorio de Windows.

2. Una vez en el Escritorio, haga clic sobre el icono **Papelera de reciclaje**. Recuerde, una sola vez con el botón izquierdo. Observe que cambia de color. Eso significa que usted lo ha seleccionado para realizar una tarea. El ordenador espera su siguiente instrucción.

Arrastrar y colocar

Arrastrar un objeto significa hacer clic sobre él y, sin dejar de apretar el botón, desplazarlo a otro lugar. Para colocarlo en el nuevo lugar, basta dejar de apretar el botón.

PRÁCTICA:

Haga clic en el icono **Papelera de reciclaje** y arrástrelo a otro lugar de la pantalla. Cuando llegue al lugar deseado, suelte el botón del ratón que tenía oprimido.

El botón derecho

PRÁCTICA:

Pruebe a hacer clic con el botón derecho sobre el icono **Papelera de reciclaje**. Observe que se despliega un menú con opciones. Se llama menú contextual. Para elegir una opción, sólo tiene que hacer clic sobre ella (con el botón izquierdo). Pruebe a hacer clic en la opción Abrir. Observe que se abre una ventana mostrando el contenido de la Papelera que puede estar vacía.

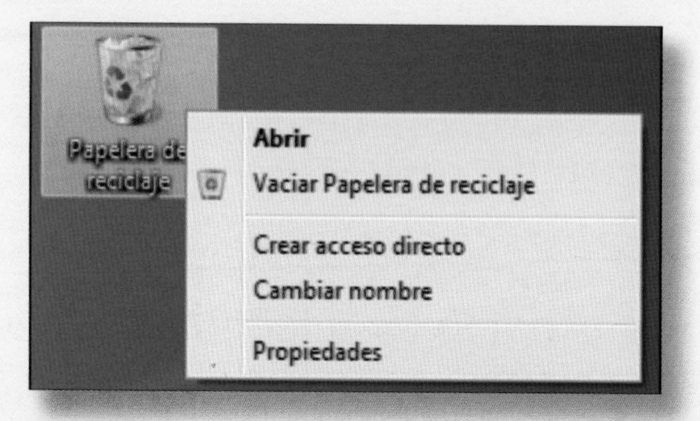

Figura 2.3. El menú contextual de la Papelera de reciclaje.

PRÁCTICA:

Cierre la ventana haciendo clic en el botón **Cerrar**, situado en la esquina superior derecha y con forma de aspa.

Doble clic

PRÁCTICA:

Pruebe a hacer doble clic sobre el icono **Papelera de reciclaje**. Observe que la ventana se abre igual que al hacer clic en la opción Abrir del menú. Si no se abre la ventana, pruebe a hacer doble clic de nuevo. Recuerde que debe hacerlo deprisa, un clic tras otro, sin pausa.

Doble clic y dos clics

Hay una gran diferencia entre el doble clic que acabamos de ver y los dos clics. El método de dos clics consiste en hacer clic sobre el nombre de un icono, carpeta o archivo y hacer clic de nuevo, tras una pequeña pausa, en el mismo lugar. Con este sistema, el nombre del icono, carpeta o archivo queda seleccionado y listo para modificarlo escribiendo sobre él un nuevo nombre.

PRÁCTICA:

Pruebe el método de los dos clics.

1. Haga clic en el nombre de la Papelera de reciclaje y, tras una pequeña pausa, haga clic de nuevo. El nombre adquirirá un color azul, para indicar que puede escribir sobre el texto seleccionado.
2. Escriba otro nombre o borre el texto "de reciclaje" utilizando la tecla **Supr**.
3. Pulse la tecla **Intro**. Luego, si lo desea, puede volver a cambiar el nombre de la Papelera por el original.

Supr

Accesibilidad. Los programas modernos suelen llevar una opción llamada Accesibilidad, que permite configurar ciertos aspectos del funcionamiento del ordenador considerando ciertas dificultades o discapacidades del usuario. Las opciones de accesibilidad de Windows 8 se encuentran en el menú Aplicaciones al que se accede haciendo clic en la flecha abajo de la pantalla Inicio que da acceso a las Aplicaciones de Windows. Puede verlo en la figura 2.4.

Truco: Para acceder al Escritorio, haga clic en el mosaico Escritorio de la pantalla Inicio. Para pasar del Escritorio a la pantalla Inicio, haga clic en el botón **Inicio**, en la esquina inferior izquierda del Escritorio. También puede pulsar la tecla **Windows** del teclado.

El teclado

El teclado recuerda el de una máquina de escribir, pero con muchas más posibilidades y teclas especiales. Para escribir con el teclado, hay que emplear un programa de edición de textos.

PRÁCTICA:

Pruebe a escribir con WordPad:

1. En la pantalla Inicio de Windows, haga clic en la flecha abajo que da acceso a las Aplicaciones.

2. Ahora puede ver las aplicaciones instaladas en el equipo. Haga clic en la barra de desplazamiento horizontal situada en el margen inferior de la pantalla y arrástrela con el ratón hacia la derecha para ver los Accesorios de Windows. Los encontrará bajo Accesibilidad de Windows.

Figura 2.4. WordPad entre los Accesorios de Windows.

3. Localice WordPad. Está seleccionado en la figura 2.4.
4. Haga clic sobre WordPad con el botón derecho para ver el menú.
5. Haga clic en Anclar a Inicio.
6. Haga clic en el mosaico WordPad y arrástrelo al lugar de la pantalla que desee para tenerlo a mano. Windows reorganizará los restantes mosaicos.

Truco: Si no puede localizar el mosaico WordPad, haga clic en el botón **Buscar** que aparece en la esquina superior derecha de la pantalla, junto al botón **Reiniciar/apagar**, escriba `WordPad` y haga clic en la lupa.

PRÁCTICA:

Haga clic en el mosaico de WordPad para ponerlo en marcha. Una vez desplegado, puede empezar a escribir. Pruebe a pulsar algunas teclas y observe el resultado.

Figura 2.5. Los grupos de teclas del teclado del ordenador.

El teclado del ordenador, que muestra la figura 2.5, tiene una fila de teclas numéricas (2) encima de las teclas alfabéticas (1), con las que puede escribir números. También puede utilizar el teclado numérico de la derecha (3), pulsando previamente la tecla **BloqNum**.

Bloq
Num

Entre el teclado alfanumérico y el numérico, hay un grupo de teclas (4) que se utilizan para desplazarse.

PRÁCTICA:

Haga clic en la ventana de WordPad y pruebe a mover el cursor pulsando las teclas **Flecha arriba**, **Flecha abajo**, etc. Pruebe a pulsar las teclas **Inicio** y **Fin** para ir al principio o al final de la línea.

Utilice **RePág** y **AvPág** para pasar una página atrás o adelante. Pulse después la tecla **BloqNum** y escriba números.

Para cerrar el programa, haga clic en el botón rojo con forma de aspa. Podrá elegir entre guardar lo escrito o desecharlo.

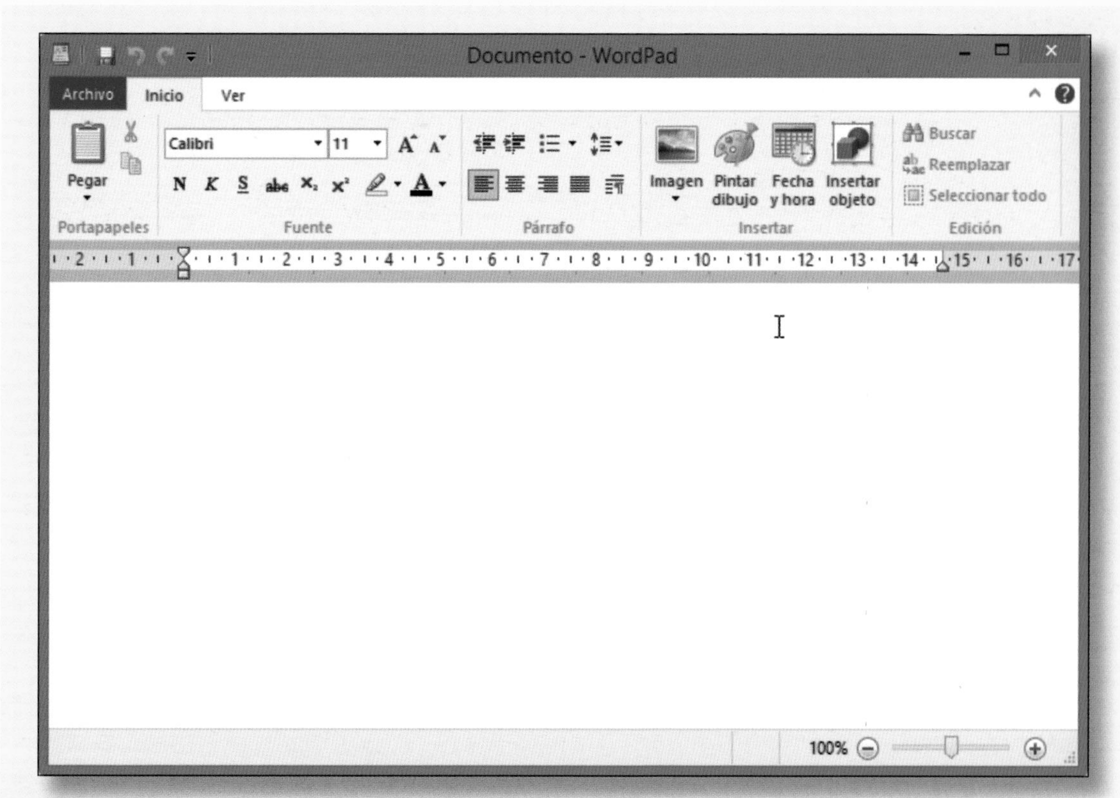

Figura 2.6. La ventana de WordPad es útil para practicar con el teclado.

Las teclas Intro y Escape

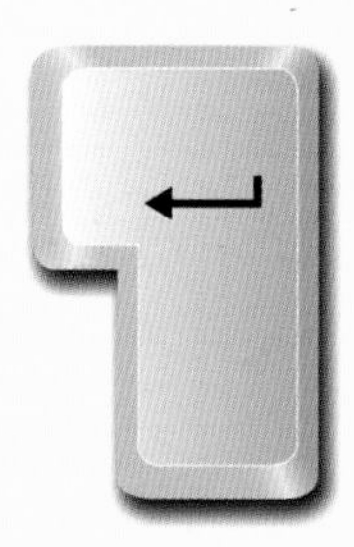

La tecla **Intro** suele ser la más grande del teclado. Sirve para indicar al ordenador que se ha finalizado una tarea. También equivale a aceptar una opción que propone un programa. Si el programa le pregunta algo y usted pulsa **Intro**, le habrá respondido que sí. Si la pulsa cuando esté escribiendo un texto, insertará un punto y aparte.

La tecla **Esc** es todo lo contrario. Está situada en la esquina superior izquierda del teclado y sirve para cancelar una acción o para responder No a una pregunta de un programa.

La arroba

La @ (arroba) se escribe pulsando a la vez la tecla **Alt Gr** y la tecla @. La @ (arroba) se emplea en las direcciones de correo electrónico.

EL TRABAJO DEL ORDENADOR

Una vez que introducimos información en el ordenador, éste la procesa y almacena en la unidad central, donde reside lo que podríamos llamar la inteligencia o lógica del ordenador, es decir, los componentes que analizan la información suministrada, la procesan, realizan los cálculos pertinentes y arrojan los resultados.

El procesador

El procesador es la parte encargada de realizar los cálculos y procesos, de ejecutar las instrucciones y de controlar la realización de las tareas, todo ello a gran velocidad.

La memoria

La memoria (memoria RAM o memoria de acceso aleatorio) consiste en un conjunto de módulos en los que se almacena la información necesaria para realizar las operaciones.

La función de la memoria es almacenar información temporalmente, mientras el procesador calcula, procesa y realiza los trabajos necesarios sobre los datos almacenados. Una vez que el ordenador se apaga, la información se borra de la memoria. Por ello, antes de apagarlo, es imprescindible guardar los resultados de las operaciones realizadas en un dispositivo de almacenamiento permanente, como el disco duro o un disco externo. De lo contrario, se pierden.

El disco duro

El disco duro es una unidad de almacenamiento permanente, que se aloja en la unidad central, dentro de la caja. La información almacenada en el disco duro es totalmente manipulable. Es decir, se puede modificar, cambiar de lugar o eliminar. Esto se lleva a cabo utilizando el teclado o el ratón del ordenador y un programa informático que permita acceder a esa información, como Windows. Los datos almacenados en el disco duro no se borran al apagar el ordenador, a diferencia de la memoria. Por eso, muchas veces se llama memorias a los dispositivos que almacenan información de forma permanente como el disco duro interno o los discos externos.

Discos externos

El ordenador permiten también leer, reproducir y grabar información en discos extraíbles o en dispositivos de gran capacidad de almacenamiento llamados discos duros externos.

Figura 2.7. Los discos externos se pueden conectar a un puerto USB y tienen una enorme capacidad de almacenamiento ocupando un espacio muy pequeño.

Los discos duros externos son similares al disco duro integrado en la unidad central del ordenador, pero con la ventaja de que se pueden trasladar fácilmente guardando en su interior gran cantidad de información y, además, mantener esa información a salvo.

Memorias externas

Se llama memoria externa a un dispositivo de almacenamiento externo móvil que se conecta al ordenador a través de un puerto USB. Tiene la ventaja de la rapidez, pues el ordenador emplea mucho menos tiempo en acceder a una de estas memorias conectadas a un puerto USB que en acceder a un disco situado en una unidad de CD/DVD. Además, estas memorias no se ven afectadas por el polvo o los rasguños, que suelen perjudicar a los discos CD/DVD. Algunas son del tamaño de un mechero y se pueden llevar colgadas como un llavero. Son muy útiles para transportar información como fotografías o vídeos y se pueden leer no solamente con el ordenador, sino con marcos digitales, dispositivos TDT, lectores de DVD, televisores, etc.

El ordenador reconoce las memorias USB (llamadas también lápices de memoria o por su nombre en inglés *pendrives*) como si se tratara de un disco duro. En el momento en que se conecta uno de estos dispositivos al puerto USB, el sistema operativo lo trata como a cualquier otra unidad de disco, lo que permite acceder rápidamente a la información, modificarla, eliminar lo necesario e incorporar información nueva.

Figura 2.8. Los lápices de memoria son dispositivos de almacenamiento externo.

Advertencia: No es conveniente guardar el trabajo en el disco duro del ordenador, porque está expuesto al ataque de un virus, a una pérdida de datos por fluctuación en la tensión eléctrica o a otros problemas. Es recomendable disponer siempre de dispositivos de almacenamiento externo en los que guardar el trabajo y los originales de los programas instalados, para prevenir pérdidas.

CD/DVD

El ordenador puede llevar instalados una o más unidades de CD/DVD para reproducir y grabar discos, casi siempre compatibles con el equipo de música.

RECOMENDACIONES PARA LA ADQUISICIÓN DEL ORDENADOR

Las características técnicas del ordenador, que forman lo que se denomina configuración, son las que determinan las prestaciones del aparato. La mayoría de las tiendas venden equipos de características y precios similares, pero hay algunas consideraciones que vale la pena tener en cuenta:

- Conviene comprarlo en una tienda que ofrezca asesoría a la hora de la compra y garantía de servicios post venta. Es importante recibir asistencia técnica en caso de avería, mal funcionamiento o, simplemente, dudas. Hay que guardar la factura como garantía, al igual que se hace con los demás aparatos adquiridos.
- Los equipos de segunda mano son mucho más económicos y pueden servir perfectamente para desarrollar el trabajo a realizar. Téngase en cuenta que la informática evoluciona

muy rápidamente y que un equipo usado puede tener un año de antigüedad. Es importante que el vendedor ofrezca al menos seis meses de garantía y servicio postventa. Sin embargo, antes de comprarlo hay que asegurarse de que el equipo usado sea compatible con los programas o dispositivos que se vayan a utilizar con él. No todos los programas funcionan en todos los equipo ni todos los equipos soportan todos los dispositivos y programas.

- No conviene adquirir productos novedosos y sofisticados sin asegurarse de que funcionan y de que son adecuados para el trabajo a realizar. Es mejor asesorarse previamente.
- Algunos de los aparatos que se adquieren con el ordenador precisan un disco de instalación, aunque generalmente, Windows los detecta e instala como veremos en un capítulo posterior. Asimismo, si el ordenador tiene instalado algún programa, debe haber un disco o memoria externa que contenga ese programa. En caso de averías o fallos, es importante disponer de todos los discos de instalación para volver a instalar los elementos o programas deteriorados. Si no hay un original del programa en soporte físico, al menos es conveniente disponer de la clave de registro para, en caso de fallo grave, descargarlo de Internet y aportar la clave para registrarlo de nuevo.

3

Los periféricos del ordenador

En el capítulo anterior vimos algunos dispositivos de entrada del ordenador. En este capítulo veremos con detalle los principales dispositivos de salida.

LA PANTALLA

El dispositivo de salida más importante que tiene el ordenador para comunicarse con el usuario es la pantalla, donde muestra la información y donde aparecen las interfaces de los programas. La tecnología de las modernas pantallas extraplanas mejora la imagen e impide que los ojos se cansen. Llevan incorporado un menú digital para controlar el color, el brillo y el contraste. Algunas llevan integrados altavoces estéreo.

Figura 3.1. La pantalla muestra la información y los programas.

La pantalla tiene una serie de botones que sirven para encenderla y apagarla. Algunas llevan un menú digital. Al pulsarlo, aparece un cuadro con opciones para ajustar el brillo y el contraste, para aumentar o reducir el volumen de los altavoces o para controlar la imagen.

LA IMPRESORA

Otro importante dispositivo de salida es la impresora, con la que el ordenador presenta, sobre papel, los resultados de un trabajo o la información solicitada.

Hay impresoras de varios tipos. Las más comunes para ordenadores domésticos son las de chorro de tinta, que utilizan cartuchos negros o de color para imprimir textos o imágenes y son muy económicas. Algunas dan excelente calidad para imprimir incluso fotografías digitales. Los equipos profesionales utilizan con frecuencia impresoras láser, de gran calidad y rendimiento, pero de coste más elevado.

El funcionamiento de la impresora es prácticamente automático. Todos los programas que permiten imprimir datos llevan un botón o una opción de menú para imprimir.

Por ejemplo, el programa de edición de texto que vimos en el capítulo anterior, WordPad, tiene una opción en el menú WordPad que se llama Imprimir. Otros programas pueden llevar la opción Imprimir en el menú Archivo.

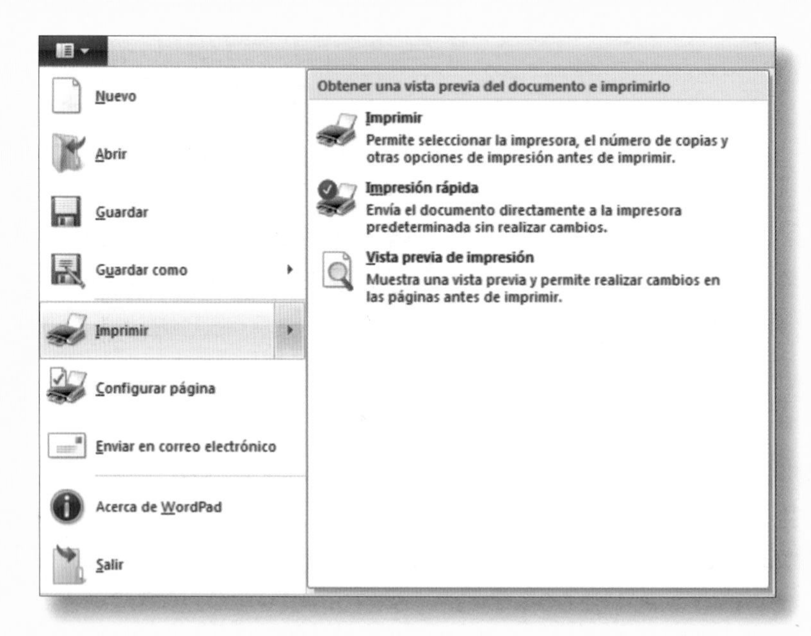

Figura 3.2. La opción Imprimir en el menú de WordPad.

La resolución de pantalla y la resolución de impresora

Nota: Un píxel (palabra procedente de la contracción de la expresión inglesa *picture element,* elemento de imagen) es el elemento más pequeño que compone una imagen gráfica.

Conviene no confundir la resolución de la pantalla con la resolución de la impresora:

- En la pantalla, las imágenes están formadas por puntos llamados píxeles. Dentro de un mismo espacio de la pantalla, la imagen tendrá más alta resolución cuanto mayor sea el número de píxeles que la componga, ya que mayor número de píxeles significa mayor flexibilidad para poder ampliar la imagen sin que pierda calidad. La resolución de la pantalla se expresa en píxeles por pulgada.
- En una impresora, las imágenes están también formadas por puntos y, al igual que los píxeles, cuantos más puntos tenga la imagen impresa más alta será su resolución. La resolución de la impresora se expresa en puntos por pulgada, lo que se suele representar por las siglas ppp.

La resolución depende del tipo de ordenador y del tipo de pantalla, pero es posible cambiarla para que los objetos se vean con mayor tamaño o mayor nitidez. La resolución mínima, que puede ser de 600 x 800 o de 1024 x 768 píxeles, permite ver las letras y los objetos más grandes, pero algunos programas o algunas páginas de Internet pueden no verse completos. En ocasiones, también puede ser preciso aumentar la resolución para ver mejor una página Web o un vídeo.

PRÁCTICA:

Para modificar la resolución de la pantalla, hay que hacer lo siguiente:

1. Haga clic en el mosaico Escritorio. Una vez en el Escritorio de Windows, haga clic con el botón derecho del ratón en cualquier lugar vacío.
2. En el menú contextual, haga clic en la opción Resolución de pantalla.
3. Aparecerá el cuadro que muestra la figura 3.3. En esta figura, la resolución señala 1280x720 píxeles. Haga clic en la pequeña flecha abajo que hay junto a esa indicación, para desplegar el deslizador.
6. Haga clic en el deslizador y arrástrelo para seleccionar 1024x768 píxeles.

Figura 3.3. Se puede cambiar la resolución moviendo el deslizador.

7. Haga clic en el botón **Aceptar**. Los objetos de la pantalla se ven más grandes, pero caben menos. Si no desea cambiar, haga clic en **Cancelar**.
8. Para volver a la resolución anterior, abra de nuevo el cuadro de diálogo y vuelva a seleccionar la resolución anterior en la lista desplegable.
9. Haga clic en el botón **Aceptar** para finalizar el proceso.

EL ESCÁNER

El escáner es un dispositivo capaz de digitalizar imágenes y de convertirlas en archivos gráficos que se pueden tratar con el ordenador. El escáner viene acompañado de su propio programa para capturar la imagen y guardarla.

Muchas impresoras modernas son multifunción, es decir, permiten no solamente imprimir, sino escanear documentos o imágenes, lo que las convierte también en fotocopiadoras, ya que es posible escanear e imprimir cualquier documento.

El funcionamiento del escáner no es complicado. Hay que colocar la fotografía o dibujo cara abajo sobre el cristal y cerrar la tapa. Es preciso ajustar el papel a las marcas, igual que se hace en una fotocopiadora. Después, es el programa el que se encarga de lo demás.

También hay que tener en cuenta la resolución del escáner. Si es baja, la fotografía escaneada puede perder calidad. Compruebe que la digitaliza con la resolución adecuada, empleando para ello el programa que acompaña al escáner. También puede utilizar el programa Escáner de Windows.

Figura 3.4. Muchas impresoras actuales traen un escáner incorporado.

El OCR

El escáner convierte en imágenes tanto los dibujos o fotografías como los textos. Eso significa que, si escanea un texto, luego no podrá modificarlo en el ordenador como tal, es decir, no podrá cambiar palabras ni letras. Se habrá convertido en una imagen gráfica como si fuera una fotografía.

Si el escáner dispone de la opción OCR (reconocimiento óptico de caracteres), podrá escanear un texto como tal, es decir, después de digitalizado, podrá modificarlo con un procesador de textos como WordPad.

Para que el texto digitalizado se pueda modificar sin problemas, es preciso que el escáner tenga muy buena calidad, de lo contrario, puede desvirtuar las letras y algunas palabras quedar irreconocibles, lo que requerirá un largo trabajo de corrección.

INSTALACIÓN DE PERIFÉRICOS PLUG & PLAY

Plug & Play significa conectar y funcionar. Es una norma tecnológica que permite conectar un aparato físico al ordenador de manera que el sistema operativo lo detecte automáticamente. Por ejemplo, al conectar una pantalla Plug & Play al ordenador, Windows la detecta y la instala automáticamente.

La mayoría de las impresoras, escáneres, cámaras y tarjetas fotográficas digitales, lectores de Mp3 y aparatos similares cumple la norma Plug & Play y no es preciso instalarlos, porque Windows los reconoce al insertarlos en el puerto USB y permite acceder a ellos inmediatamente.

Si el aparato a conectar no cumple con los requisitos de esa norma o no los cumple totalmente, hay que proceder a instalarlo con el programa del fabricante.

Instalación de la impresora

Instalar la impresora es una operación sumamente sencilla. En primer lugar, compruebe que dispone de lo necesario:

- Un cable para conectar la impresora a la red eléctrica.
- Un cable para conectar la impresora al ordenador.
- Un programa de instalación, aunque generalmente no será necesario.
- Un manual del usuario.
- Un cartucho negro o de color instalado dentro de la impresora.
- Papel para imprimir.

PRÁCTICA:

Ahora sólo tiene que enchufar la máquina al ordenador y a la red eléctrica. Inserte el conector en un puerto USB libre. Windows la reconocerá al instante.

Instalación del escáner

Si el escáner no está incorporado a la impresora, instalarlo es igualmente fácil. Compruebe que dispone de lo necesario:

- Un cable para conectar el escáner a la red eléctrica.
- Un cable para conectar el escáner al ordenador.
- Un programa de instalación, aunque normalmente no será necesario.
- Un manual del usuario.

PRÁCTICA:

Ahora sólo tiene que enchufar el escáner al ordenador y a la red eléctrica. Inserte el conector en un puerto USB libre. Windows lo reconocerá al instante.

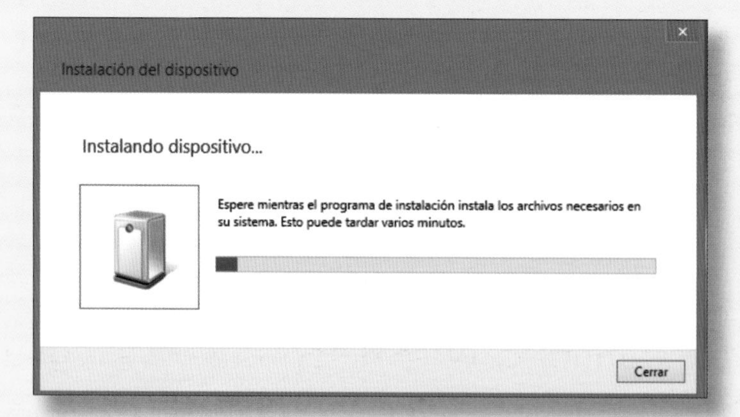

Figura 3.5. Windows reconoce e instala automáticamente los dispositivos.

Los drivers

Si su impresora y su escáner cumplen la norma Plug & Play, Windows los detectará tan pronto como los conecte. Si no la cumplen, Windows solicitará el programa de instalación del fabricante. Inserte el disco en la unidad de CD/DVD y siga las instrucciones del programa, que serán pocas y muy sencillas. También puede venir grabado en un lápiz de memoria u otro dispositivo.

Cuando no se dispone de programa de instalación y Windows no reconoce el dispositivo, es necesario obtener los conectores electrónicos que permiten el funcionamiento del dispositivo. Estos conectores, más conocidos por su nombre en inglés, *drivers*, son pequeños programas informáticos que pueden descargarse fácil y gratuitamente de Internet, desde la página Web del fabricante del aparato.

Una vez descargado, solamente hay que hacer doble clic sobre el archivo, que lleva la terminación .exe (ejecutable), para ejecutarlo, con lo que la instalación del dispositivo quedará completa.

Libros: Encontrará toda la información necesaria sobre descargas de Internet en los libros *Internet* y *Cómo buscar en Internet* de esta misma colección.

El Panel de control

Windows ofrece una herramienta indispensable para el control, instalación y desinstalación de dispositivos y programas. Es el Panel de control.

PRÁCTICA:

Compruebe los dispositivos instalados:

1. En la pantalla Inicio de Windows 8, haga clic en la flecha abajo para acceder a las Aplicaciones.
2. En la pantalla Aplicaciones, arrastre la barra de desplazamiento horizontal hacia la derecha hasta localizar Sistema de Windows.
3. Haga clic en Panel de control. Puede verlo en la pantalla que muestra la figura 3.6.

Figura 3.6. El Panel de control forma parte del sistema de Windows.

4. En la ventana del Panel de control, haga clic en Ver dispositivos e impresoras. Se encuentra bajo el epígrafe Hardware y sonido.

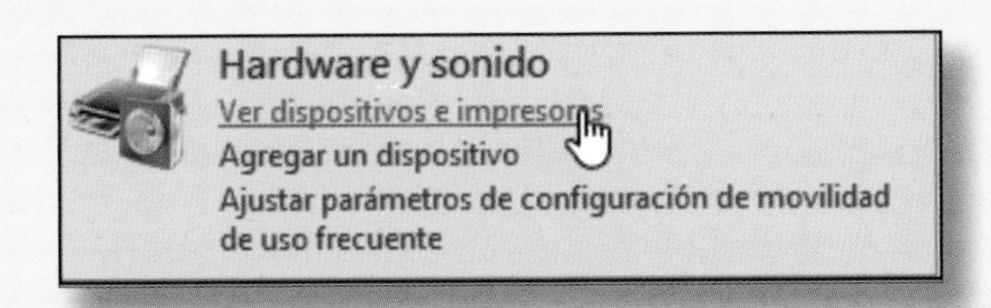

Figura 3.7. Haga clic en Ver dispositivos e impresoras.

5. Observe su impresora y/o su escáner en la ventana Dispositivos e impresoras.

Truco: Para mayor comodidad, puede anclar el mosaico del Panel de control a la pantalla Inicio, como hicimos con WordPad en el capítulo anterior y arrastrarlo al lugar que prefiera para tenerlo a mano.

Pruebe la impresora y el escáner

Windows 8.1 ofrece una aplicación llamada Escáner para digitalizar documentos con un escáner instalado.

PRÁCTICA:

Escanee una fotografía e imprímala:

1. Vaya a la pantalla Aplicaciones y arrastre la barra de desplazamiento horizontal hacia la derecha hasta localizar los Accesorios de Windows.

2. Haga clic en Escáner. Recuerde que también puede llevar esta aplicación a la pantalla Inicio, como hemos hecho con el Panel de control y con WordPad.

3. Coloque una fotografía en la bandeja o ranura del escáner. Compruebe que está bien situada y cierre la tapa.
4. En la ventana Escáner, observe el Tipo de archivo. Para una fotografía, JPEG es un formato adecuado.
5. Para ver el color, haga clic en Mostrar más. Si se trata, por ejemplo, de una fotografía antigua, puede seleccionar Escala de grises en la opción Color.

Figura 3.8. Compruebe los parámetros de digitalización y la posición de la imagen.

6. Compruebe la resolución en la opción Resolución (ppp). Aquí puede aumentar o disminuir los puntos por pulgada para obtener mayor o menor resolución.
7. Haga clic en Vista previa para comprobar la posición de la imagen.
8. Si la imagen está colocada correctamente, haga clic en Digitalizar.
9. Al finalizar, Windows guardará la imagen en la carpeta Digitalizaciones, dentro de la biblioteca Imágenes, a la que puede acceder con el Explorador de archivos. Si desea ver la imagen en la ventana de Fax, haga clic en Ver.
10. La Reproducción automática le dará a elegir la aplicación para verla.

Truco: Las aplicaciones de Windows 8 tienen también el botón rojo con forma de aspa para cerrarlas, como todas las ventanas de Windows. Para cerrar una aplicación, acerque el ratón a la esquina superior derecha de la pantalla y haga clic en el botón **Cerrar**. Si es un botón en la barra de tareas del Escritorio, haga clic con el botón derecho y seleccione Cerrar ventana en el menú.

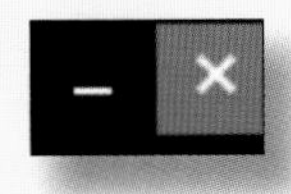

LAS TECNOLOGÍAS INALÁMBRICAS

Actualmente existen numerosos aparatos, incluyendo impresoras con o sin escáner incorporado, que pueden conectarse al ordenador empleando tecnologías inalámbricas. Veamos algunas de estas tecnologías.

Bluetooth

Bluetooth es una norma inalámbrica que conecta entre sí teléfonos móviles, ordenadores portátiles, manos libres para el coche, reproductores de MP3, vídeo y TV, instrumentos médicos y otros muchos dispositivos, portátiles o fijos. El núcleo del sistema Bluetooth consiste en un transmisor de radio, una banda base y una pila de protocolos. Permite no sólo la conexión entre dispositivos, sino el intercambio de distintos tipos de datos entre ellos.

Wifi

Wifi es la contracción de *Wireless Fidelity* y una de las tecnologías inalámbricas más utilizadas. Los proveedores de servicios de Internet ofrecen routers wifi que permiten conectar más de un equipo.

Instalar una impresora inalámbrica

Para instalar una impresora inalámbrica, hay que conectarla a la red eléctrica y agregarla a la red wifi doméstica como dispositivo compartido. Algunas impresoras se pueden instalar colocando temporalmente un cable conectado a un puerto USB del ordenador, para que el sistema operativo reconozca el dispositivo y active la conexión. También hay que instalar un programa facilitado por el fabricante de la impresora y seguir las instrucciones.

Windows controla las conexiones inalámbricas mediante la función Grupo en el hogar, que permite compartir dispositivos instalados a través de la red wifi. Para acceder a esta función, hay que hacer clic en la opción Elegir grupo en el hogar y opciones de uso compartido que se encuentra bajo el epígrafe Redes e Internet en la ventana del Panel de control.

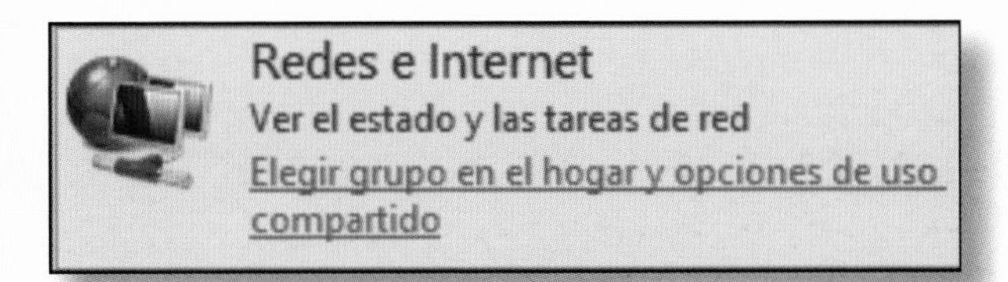

Figura 3.9. Grupo en el hogar, en la ventana del Panel de control.

Los altavoces inalámbricos

Los altavoces inalámbricos funcionan mediante un transmisor conectado a un puerto USB del equipo (ordenador, televisor, reproductor de vídeo, etc.). Pueden ir acompañados de un mando a distancia para su control remoto y su sincronización con el equipo.

Conexión y desconexión de dispositivos USB

De igual forma que Windows detecta los dispositivos que se conectan a un puerto USB y muestra una indicación de que está instalado y puede utilizarse, también conviene que Windows controle la retirada de esos dispositivos para prevenir conflictos.

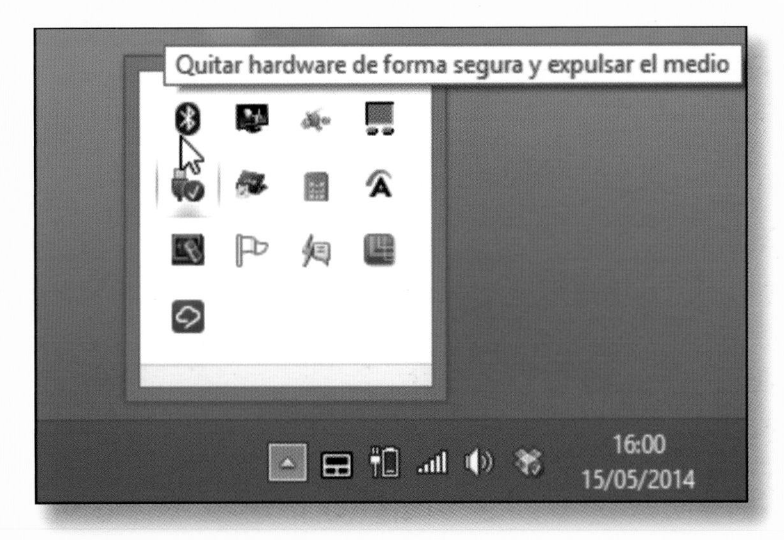

Figura 3.10. El botón para quitar hardware.

Para ello, antes de retirar el cable que conecta un dispositvo al USB, haga clic en el botón **Quitar hardware de forma segura y expulsar el medio**, que se encuentra en el extremo derecho de la barra de tareas, junto al altavoz y el reloj.

Recuerde que para acceder a la barra de tareas deberá hacer clic en el mosaico Escritorio de la pantalla Inicio de Windows 8.

Una vez que aparezca el mensaje indicando que ya puede retirar el dispositivo, retire el conector con cuidado.

Truco: Si no consigue ver el icono de quitar hardware o cualquier otro de los iconos de la barra de tareas, es porque están ocultos. Para hacerlos visibles, haga clic en el botón **Mostrar iconos ocultos**, que muestra una flecha arriba.

CONTROLE LOS DISPOSITIVOS DE SU EQUIPO CON WINDOWS 8

Además del Panel de control, Windows 8 ofrece una herramienta muy útil para controlar los dispositivos instalados en el equipo y también para acceder a determinadas opciones, como Grupo en el hogar o los dispositivos compartidos.

PRÁCTICA:

Conozca los recursos de Windows 8 para su equipo:

1. En la pantalla Inicio, arrastre la barra de desplazamiento horizontal hacia la derecha, hasta localizar el mosaico Configuración de PC.

2. En la ventana Configuración de PC, haga clic en Dispositivos.
3. Compruebe que su impresora y su escáner se encuentran correctamente instalados. Acerque el ratón a uno de ellos, sin hacer clic, para ver la información de instalación como muestra la figura 3.11. Observe que Windows no menciona las palabras impresora o escáner, sino la marca y el modelo.

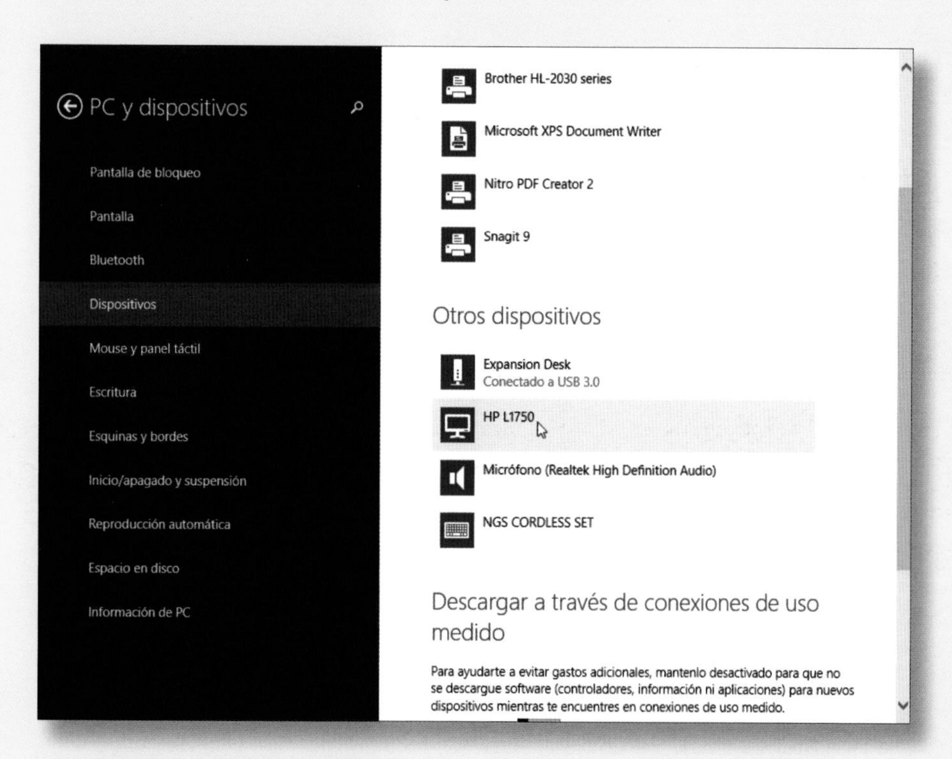

Figura 3.11. Compruebe la instalación del escáner.

4

EL SOFTWARE

Llamamos software al conjunto de programas que hacen funcionar al ordenador, ya sea de forma general o de forma específica. Software es, como la mayoría de las palabras que se refieren a la informática, un término inglés que se podría traducir por lógica, la parte intangible del ordenador.

Los programas se pueden adquirir con varios formatos:

a) En formato digital, descargándolos de la página del fabricante en Internet.

b) En formato digital, grabados en soportes físicos como DVD o lápices de memoria (*pendrives*).

c) Preinstalados en el ordenador en el momento de la compra.

CLASES DE PROGRAMAS

Un programa es un conjunto de instrucciones que el ordenador interpreta para ejecutar determinada tarea. Básicamente, podemos distinguir tres clases de programas:

- Los sistemas operativos. Son programas complejos que hacen que el ordenador funcione de forma general, es decir, que responda a instrucciones generales como leer un disco, imprimir un documento, representar una fotografía o un dibujo, reproducir un sonido o instalar otros programas. Uno de los sistemas operativos más utilizados es Windows, que suele venir preinstalado en el disco duro. Muchas modernas tabletas electrónicas y teléfonos inteligentes llevan sistemas operativos Android o iOS. Otros sistemas operativos muy utilizados son Mac OS, Linux, Unix y Ubuntu.
- **Las aplicaciones**. Son programas que hacen que el ordenador ejecute tareas específicas y especializadas. Por ejemplo, los procesadores de textos que permiten escribir y editar textos, como Microsoft Word; las hojas de cálculo, que permiten realizar cálculos sencillos o complejos, como Microsoft Excel; los programas multimedia, que permiten

reproducir y grabar archivos de sonido y vídeo, como el Reproductor de Windows Media; los programas de diseño gráfico y retoque fotográfico, que permiten dibujar y manipular imágenes y dibujos, como Adobe Photoshop; etc.

- **Los lenguajes de programación**. Son similares a idiomas que permiten entenderse con el ordenador y escribir instrucciones que generen nuevos programas. Por ejemplo, Basic, Cobol, Pascal, Delphi o Java.

La función del sistema operativo

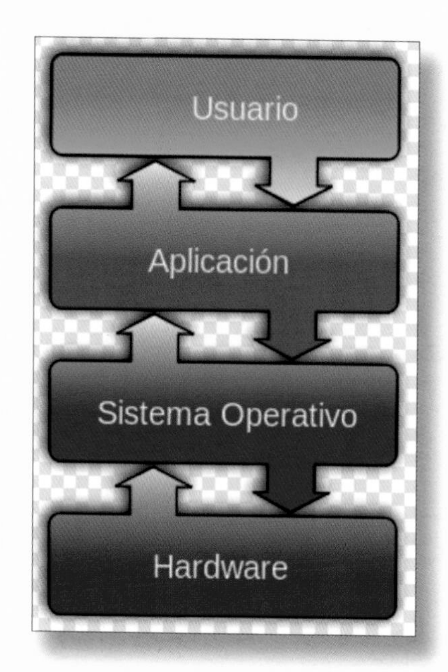

Figura 4.1. El sistema operativo se encuentra entre el usuario, los programas y el hardware.

Los sistemas operativos son programas muy potentes que hacen que el ordenador "opere." Entre sus funciones está el control de la comunicación entre la máquina, el usuario y los restantes programas que se ejecutan. Podemos considerar al sistema operativo, por tanto, como nuestro interlocutor con el ordenador. Él nos traduce los mensajes de la máquina y de los programas y traduce a la máquina nuestras instrucciones.

Al poner en marcha el ordenador, el sistema operativo se inicia inmediatamente y comprueba que todos los componentes, tanto físicos (hardware) como lógicos (software), funcionan o pueden funcionar correctamente.

Todas las tareas que haya de realizar cualquier programa, tendrá que llevarlas a cabo a través del sistema operativo. Por ello es imprescindible que los programas sean compatibles con la versión del sistema operativo instalada, ya que, de lo contrario, se producen conflictos y rechazos. Y, también por ello, la mayoría de los distintos programas que se pueden adquirir para escribir, calcular, hacer presentaciones, gestionar registros, dibujar, editar sonido o vídeo, etc., son compatibles con Windows, que es, como hemos dicho, uno de los sistemas operativos más difundidos.

Advertencia: Si adquiere un programa o un aparato para su ordenador, recuerde que ha de ser compatible con su sistema operativo. De lo contrario, no funcionará o, si lo hace, es posible que cause problemas.

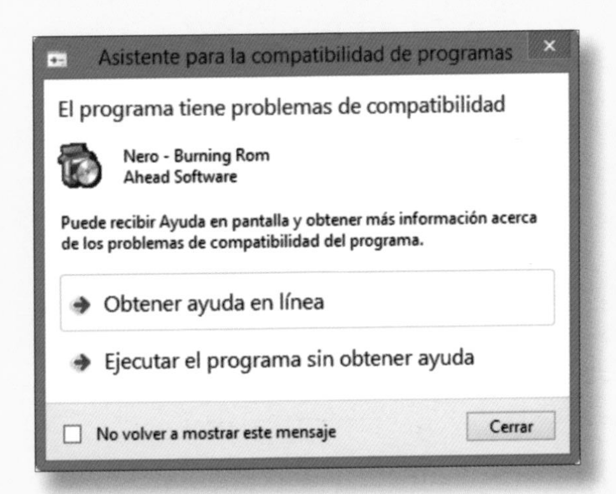

Figura 4.2. Windows anuncia problemas de incompatibilidad.

Las aplicaciones en Windows 8

Windows 8 llama aplicaciones a los programas instalados, ya se trate de programas que incorpora el propio sistema operativo, como el Bloc de notas o la Grabadora de sonidos, o bien de programas instalados por el usuario.

Buscar una aplicación

Windows contiene numerosas aplicaciones prácticas y sencillas. Hemos localizado WordPad, el Panel de control y el Escáner en capítulos anteriores. Pruebe ahora a buscar otras aplicaciones que desee utilizar y llévelas a la pantalla Inicio de Windows 8.

PRÁCTICA:

Localice una aplicación:

1. En la pantalla Inicio, haga clic en la flecha abajo para acceder a las Aplicaciones.

2. Observe que las aplicaciones están ordenadas alfabéticamente. Si no encuentra la que busca, escriba el nombre en la casilla de búsquedas.

Figura 4.3. La casilla para buscar aplicaciones.

3. Normalmente, no necesitará hacer clic en la lupa. El mosaico del programa buscado aparecerá a la izquierda. Haga clic en él para abrirlo.

La casilla de búsquedas tiene un menú que permite no solamente buscar aplicaciones, sino todo tipo de archivos. Solamente hay que hacer clic en la flecha abajo que indica En todo y seleccionar el tipo de programa a localizar.

Figura 4.4. El menú de la casilla de búsquedas.

Truco: Además de convertir las aplicaciones en mosaicos y anclarlos a la pantalla Inicio de Windows 8 como hemos hecho anteriormente, puede llevarlas al Escritorio haciendo clic en la opción Anclar a la barra de tareas del menú que se abre al hacer clic con el botón derecho sobre el mosaico de la aplicación.

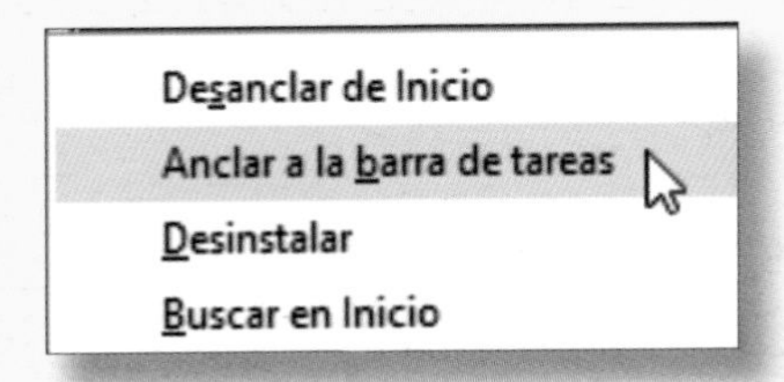

Figura 4.5. Menú de una aplicación con la opción Anclar a la barra de tareas.

Abrir y cerrar aplicaciones

Para abrir una aplicación, solamente hay que hacer clic en el mosaico correspondiente o en el botón de la barra de tareas. Después, se puede cerrar o minimizar en la barra de tareas:

- Para cerrarla, aproxime el ratón a la esquina superior derecha de la pantalla y haga clic en el botón **Cerrar** que tiene forma de aspa y color rojo.
- Para minimizarla en la barra de tareas, aproxime el ratón a la esquina superior derecha de la pantalla y haga clic en el botón que tiene el signo menos (-).
- En la barra de tareas del Escritorio puede volver a abrirla haciendo clic en el botón. También puede cerrarla o anclarla haciendo clic con el botón derecho del ratón para abrir el menú contextual.

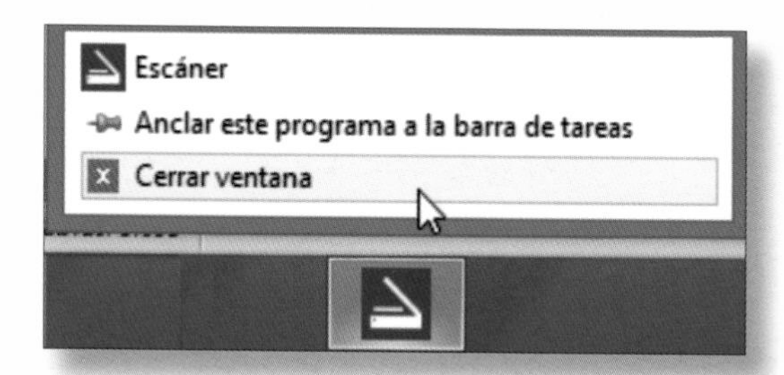

Figura 4.6. El menú contextual de una aplicación en la barra de tareas.

INSTALAR Y DESINSTALAR APLICACIONES

Instalar y desinstalar programas son dos procesos similares.

Instalar

PRÁCTICA:

Pruebe a instalar un programa:

1. Inserte el disco en la unidad de CD/DVD.
2. Windows mostrará un cuadro de aviso en el que hacer clic. Cuando aparezca el cuadro de diálogo Reproducción automática haga clic en Ejecutar para iniciar la instalación.

Figura 4.7. La opción Ejecutar pone en marcha el programa de instalación.

3. Acepte el contrato de licencia.
4. Siga las instrucciones del Asistente.
5. Al finalizar la instalación, tendrá un nuevo mosaico en las Aplicaciones de Windows 8. En muchos casos, encontrará también un icono en el Escritorio.

Truco: La mejor manera de probar si un programa se ha instalado es hacer clic en su mosaico o doble clic en su icono del Escritorio para ver si se pone en marcha y funciona regularmente.

Figura 4.8. El Escritorio tradicional de Windows muestra los iconos de los programas instalados. En la barra de tareas pueden verse los botones de los programas anclados.

Desinstalar

Desinstalar un programa conlleva un proceso similar al de la instalación. Windows ofrece dos herramientas para desinstalar con seguridad: el menú de la aplicación y el Panel de control.

PRÁCTICA:

Aprenda a desinstalar programas:

1. Localice el mosaico del programa en Aplicaciones de Windows.

2. Haga clic con el botón derecho sobre el mosaico para abrir el menú.
3. Seleccione la opción Desinstalar. Se abrirá el Panel de control con la opción para desinstalar el programa seleccionado.

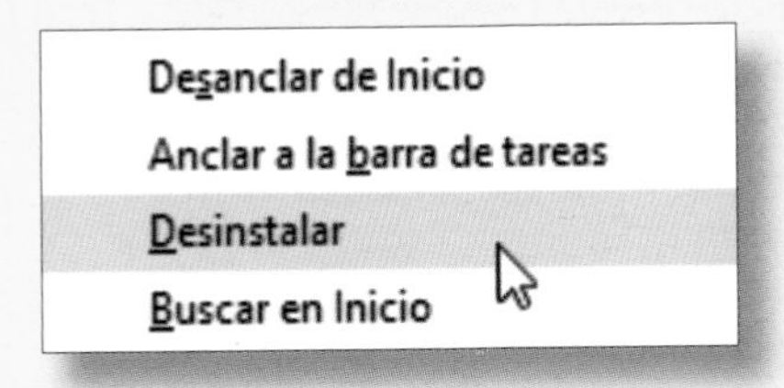

Figura 4.9. La opción Desinstalar en el menú de la aplicación.

PRÁCTICA:

Desinstale una aplicación:

1. Acceda al Panel de control de la forma anterior o haciendo clic en su mosaico.
2. En la ventana del Panel de control, haga clic en la opción Desinstalar un programa, que se encuentra bajo el epígrafe Programas.

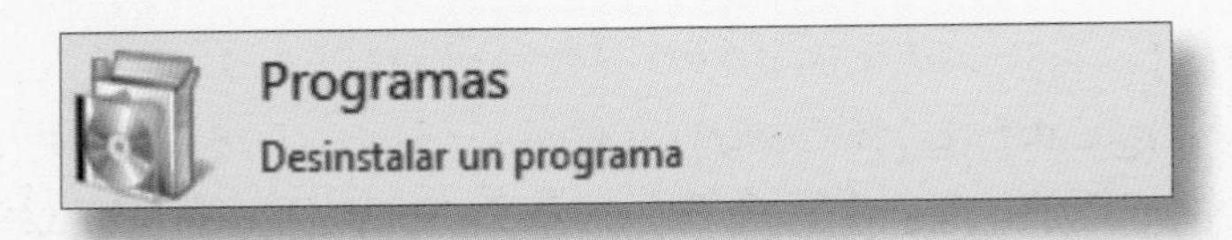

Figura 4.10. La opción Desinstalar un programa.

3. Localicen el programa que quiera desinstalar, haga clic con el botón derecho y seleccione Desinstalar o cambiar en el menú contextual.
4. Siga las instrucciones del Asistente hasta que le indique que el programa se ha desinstalado.

Advertencia: Algunos programas no se desinstalan con el Panel de control. Los antivirus, por ejemplo, solo se desinstalan completamente utilizando el programa de desinstalación que acompaña al de instalación. Suelen llamarse Uninstall, Unwise, Unins o algo similar. Para localizarlo, abra el Explorador de archivos, haga clic en el disco duro que suele ser C: y después en Archivos de programa. Haga clic en la carpeta que contiene la aplicación, localice el archivo de desinstalación y haga doble clic sobre él.

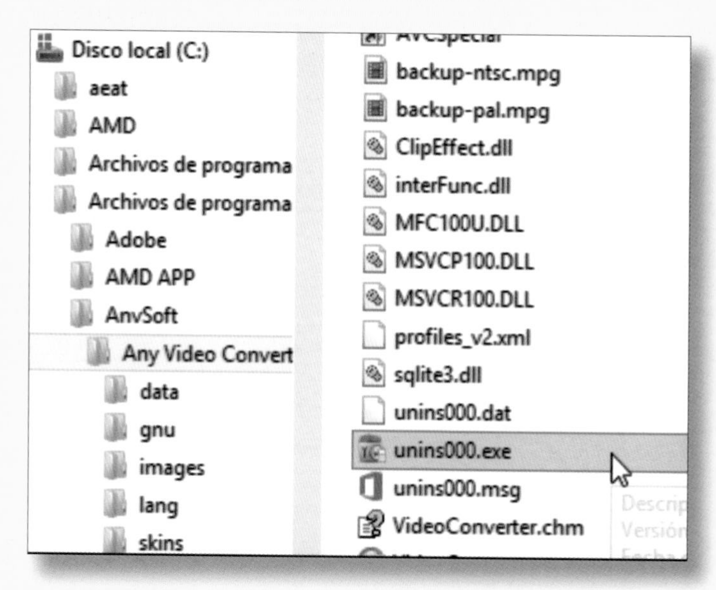

Figura 4.11. El programa de desinstalación.

Advertencia: Nunca borre un programa del ordenador. Desinstálelo siempre. Los programas no se limitan a colocar un icono en el escritorio y un archivo ejecutable en la carpeta Archivos de programa de Windows, sino que crean enlaces, bibliotecas y otros objetos en diversos lugares del disco duro. Si se borra el programa principal, el resto sigue funcionando y puede originar numerosos problemas.

EL EXPLORADOR DE ARCHIVOS DE WINDOWS

El Explorador de archivos de Windows es sin duda la herramienta más útil para manejar los archivos porque permite guardar, desplazar y ejecutar programas instalados. Por ejemplo, si usted descarga una aplicación de Internet, recibirá un archivo ejecutable (con la terminación .exe) en la carpeta `Descargas`. Utilizando el Explorador de archivos, podrá acceder a ese ejecutable y no solamente ponerlo en marcha haciendo doble clic, sino guardarlo en un dispositivo de almacenamiento externo para posibles reinstalaciones.

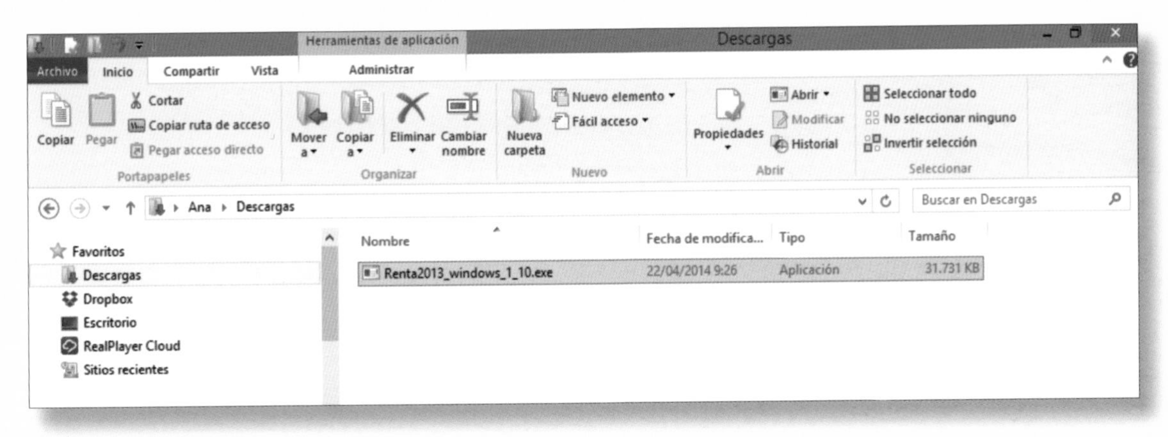

Figura 4.12. El programa PADRE de Hacienda, en la carpeta Descargas.

El Explorador de archivos se encuentra anclado a la barra de tareas del Escritorio de Windows y se pone en marcha haciendo clic sobre él. Puede verlo en la figura 4.8.

Libros: Encontrará toda la información necesaria para el manejo del Explorador de Archivos en el libro *Windows 8* de esta misma colección.

LOS NAVEGADORES DE INTERNET

Internet Explorer es el navegador que Windows incluye para desplazarse por Internet. Muestra un mosaico en la pantalla Inicio y se pone en marcha activando el mosaico con el dedo o el ratón.

También ofrece un botón en la barra de tareas del Escritorio de Windows, como muestra la figura 4.8. Se pone en marcha haciendo clic en el botón.

Truco: Si Internet Explorer no aparece en el Escritorio, haga clic con el botón derecho del ratón sobre el mosaico Internet Explorer de la pantalla Inicio de Windows 8 y seleccione Anclar a la barra de tareas en el menú. Haga clic en el mosaico Escritorio para pasar al Escritorio y comprobarlo.

Descarga de un navegador

Los navegadores de Internet son gratuitos. Todos se descargan y se manejan de forma similar, aunque tienen algunas diferencias. Los más conocidos, aparte de Internet Explorer, son Mozilla Firefox, Google Chrome y Opera. Como ejercicio práctico, probaremos a descargar de Internet Mozilla Firefox, que es uno de los más prácticos y recomendados.

PRÁCTICA:

Descargue el navegador Mozilla Firefox:

1. Ponga en marcha Internet Explorer y escriba `www.mozilla.org/es` en la barra de direcciones.
2. Haga clic en el botón **Descarga gratuita**.

3. Haga clic en Guardar, cuando Internet Explorer le ofrezca ejecutar o guardar el programa. Puede verlo en la figura 4.13.

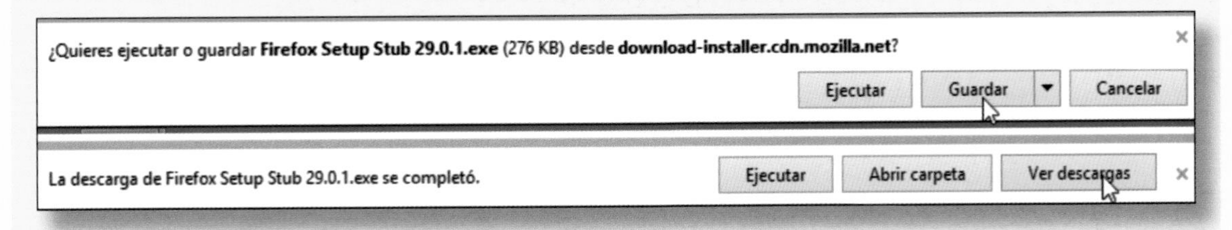

Figura 4.13. Internet Explorer da a elegir entre ejecutar el programa o guardarlo.

4. Al terminar la descarga, Internet Explorer le ofrecerá nuevas opciones que puede ver también en la figura 4.13. Haga clic en Ver descarga.
5. Encontrará el archivo ejecutable de Firefox en la carpeta `Descargas`, que puede localizar con el Explorador de archivos de Windows. Su nombre es `Firefox Setup Stub.exe`. Haga doble clic sobre él para ejecutarlo e instalar Firefox.

PROTECCIÓN PARA VIRUS INFORMÁTICOS

De todos los programas que se pueden instalar en una computadora, el más imprescindible, después del sistema operativo, es el antivirus.

Los virus son programas que se introducen en el disco duro, generalmente adheridos a otros programas. Muchos mantienen una existencia larvada dentro del ordenador y se activan mediante un acontecimiento específico, como una fecha o una acción.

Los hay de muy diversas clases y condiciones. Veamos los más importantes:

- Virus que se activan cuando el reloj del ordenador señala una fecha determinada, por ejemplo, el virus llamado Viernes 13.
- Virus llamados "gusanos" que se multiplican numerosas veces dentro de un ordenador o de una red.
- Virus, como el llamado "Caballo de Troya" o simplemente "troyano", que se disfrazan de otros programas conocidos, con el fin de que el usuario lo ejecute en la creencia de que se trata de uno de esos programas.
- Virus llamados espías, que se instalan dentro del ordenador y recogen información del usuario, que es utilizada después para enviarle publicidad y correo no deseado.

Sintomatología de los virus

Uno de los primeros síntomas de que el ordenador está infectado por un virus o tiene un espía instalado es que los procesos se hacen muy lentos y las respuestas a las instrucciones emplean más tiempo del habitual.

Otro síntoma es que el ordenador empieza a fallar con frecuencia, se detiene a mitad de un trabajo y se bloquea, por lo que hay que reiniciarlo. Puede también estropear algunos trabajos o programas.

Si se introduce un espía, se reciben abundantes mensajes publicitarios de correo electrónico o información no deseada.

¿Cómo infectan los virus?

Los virus infectan al ordenador por varias vías. Las principales son:

- Internet. Cuando navegamos por Internet, hay numerosos virus y espías dispuestos a introducirse en el disco duro de nuestro ordenador. Se encuentran en determinadas páginas Web y se instalan sin que nos demos cuenta.

- A través del correo electrónico. Los mensajes de correo electrónico pueden a veces llevar un virus que se pone en marcha tan pronto abrimos el mensaje o bien permanecer latente hasta el momento que tenga programado para activarse.
- En los programas copiados. Algunos programas gratuitos o copiados, no originales, llevan incorporado un virus informático que se instala en el ordenador al mismo tiempo que el programa.

Los antivirus y los antiespías

Todos los problemas anteriores se pueden evitar fácilmente instalando un antivirus en el ordenador. Si hay conexión con Internet, también es importante instalar un programa antiespías.

Los programas antivirus y antiespías se activan en el mismo momento en que se pone en marcha el ordenador y permanecen alerta para detectar cualquier amenaza que trate de introducirse en el disco duro. La mayoría de los antivirus modernos incorporan la función antiespías, por lo que no es necesario adquirir dos programas distintos.

Cuando el antivirus o el antiespías detectan la presencia de un virus o un espía, los bloquean para que no actúen y advierten al usuario de su existencia. Si se trata de un virus realmente dañino, el antivirus lo elimina. Si es un programa potencialmente nocivo, se mantiene en cuarentena para verificar si realmente se trata de un virus o solamente es una posible amenaza. En cualquier caso, el antivirus advierte al usuario de su presencia y bloquea el acceso.

Los antivirus y antiespías hacen un recorrido del ordenador en busca de virus, espías o amenazas. Si encuentran alguno, lo eliminan o preguntan al usuario si deben eliminarlo, informándole del nivel de peligro que supone.

Para que un antivirus o antiespías resulte eficaz es imprescindible que haga lo siguiente:

- Examinar el ordenador periódicamente, en busca de amenazas.
- En el caso de localizar un virus o espía, eliminarlo inmediatamente.
- Prevenir y advertir antes de entrar en un lugar peligroso de Internet o antes de instalar o ejecutar un programa potencialmente peligroso.
- Actualizarse automáticamente con cierta frecuencia. Los virus mutan constantemente y cada día aparecen virus nuevos en el mundo informático. Por eso, es imprescindible actualizar el antivirus con frecuencia, al menos cada 15 días.

Información: Encontrará todo lo necesario sobre virus y antivirus en la página Web del INTECO, del Ministerio de Industria, en la dirección `www.inteco.es/Seguridad`.

Windows Defender

Windows 8 ofrece todas las herramientas necesarias para la protección de su equipo:

a) Una herramienta llamada Firewall (significa cortafuegos), que actúa como barrera entre el ordenador y los virus de Internet. Sin embargo, el cortafuegos no es un antivirus, solamente actúa como primera protección.

b) Windows Defender con antivirus y antiespías.

PRÁCTICA:

Compruebe que su equipo está protegido con Windows Defender:

1. Haga clic en el icono Centro de actividades que tiene forma de banderín y está situado a la derecha de la barra de tareas.

2. Haga clic en Abrir Centro de actividades y, en el cuadro Centro de actividades, haga clic en Seguridad.
3. Observe que todas las herramientas de seguridad están activadas.

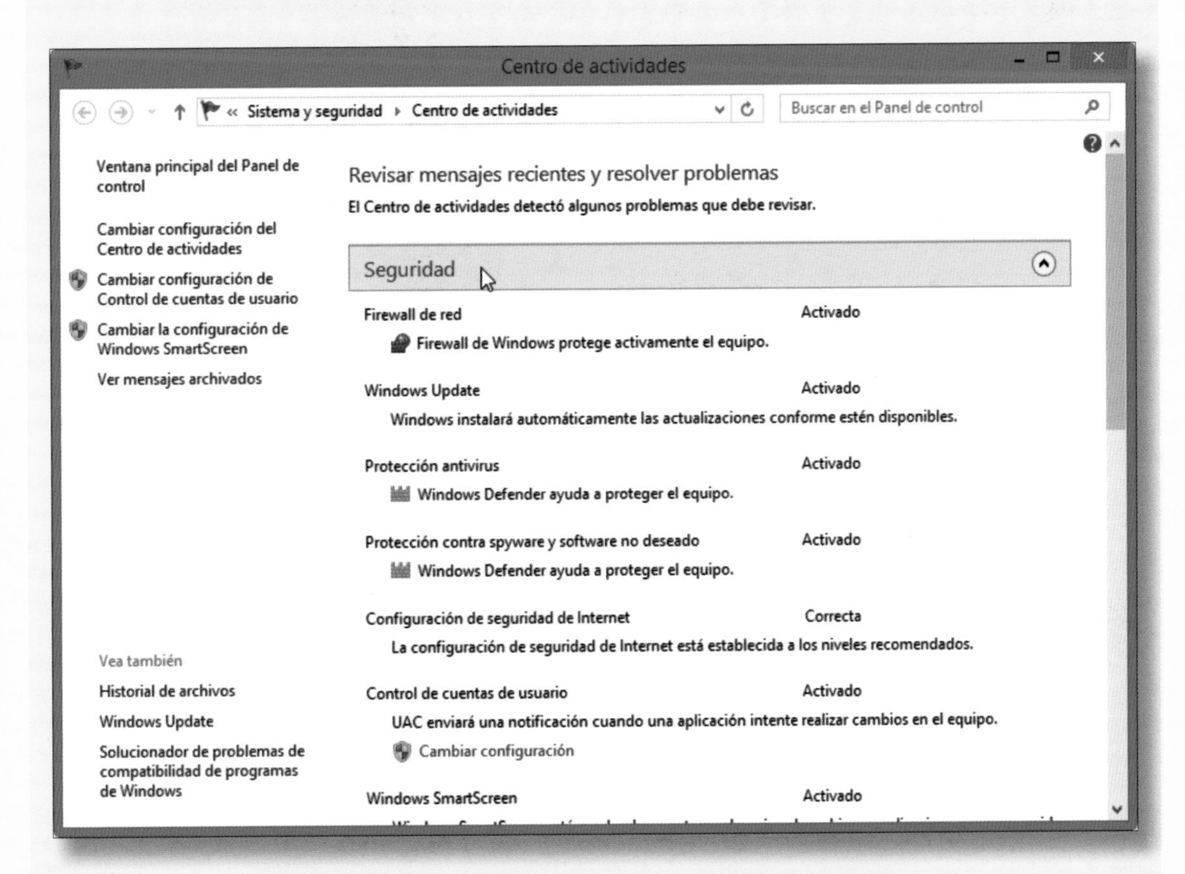

Figura 4.14. Windows 8 protege su equipo.

Advertencia: Tener dos antivirus en lugar de uno puede producir conflictos en su sistema y lentificación del trabajo o, incluso, bloqueo del ordenador porque los dos antivirus compiten por los recursos del equipo y terminan por neutralizarse mutuamente. No confíe en los antivirus gratuitos porque pueden ser frágiles y fallar a la hora de defender su equipo. Es preferible pagarlos para tener toda la garantía, pero recuerde que Windows Defender cumple esa función de forma gratuita.

La importancia de actualizar Windows y el navegador de Internet

Los antivirus se suelen actualizar automáticamente poniéndose en comunicación con su constructor a través de Internet, pero para ello es imprescindible mantener la conexión. Después de actualizarse, lo indican con un cuadro de aviso o con una indicación en la barra de tareas de Windows.

También se pueden actualizar manualmente, haciendo clic en el botón correspondiente, que suele llamarse **Actualizar**, **Update, Smart Update** o algo similar.

Los navegadores de Internet tienen también sus puntos débiles en cuanto a protección, pero los fabricantes emiten frecuentes actualizaciones para fortificar esos puntos de acceso. Por eso es importante actualizarlos. Si dispone de Internet Explorer, Mozilla Firefox u otro navegador, recibirá la notificación de actualización cada vez que el fabricante emita una de ellas. Acéptela e instálela para proteger a su equipo. Los envíos e instalación son automáticos y gratuitos.

Las actualizaciones de Windows

Microsoft emite también actualizaciones periódicas para mantener al día los programas que fabrica. Así, Windows se actualiza automáticamente y agrega parches de seguridad y otros complementos a la instalación. Estas actualizaciones se generan a medida que el fabricante averigua la existencia de nuevas amenazas para la seguridad de los programas, por ello, es importante aceptar las actualizaciones que Windows emite, envía e instala en el ordenador.

PRÁCTICA:

Para ver las actualizaciones de Windows, haga lo siguiente:

1. Acceda al Centro de actividades de la figura 4.14.
2. Si no puede ver Windows Update, como muestra la figura 4.14, haga clic en Seguridad.
3. Compruebe la indicación junto a Windows Update, que aparece en la figura 4.15. Observe que indica que las actualizaciones de Windows son automáticas. El sistema le informará oportunamente en cada caso.

Figura 4.15. Las actualizaciones de Windows también protegen su equipo.

5

Dispositivos multimedia

Multimedia es el plural de la palabra inglesa de origen latino *multimedium* y se refiere a los programas que se pueden almacenar en distintos soportes físicos, como una enciclopedia almacenada en un DVD con textos, imágenes y sonido. El ordenador multimedia, por tanto, es aquel que dispone de los recursos necesarios para gestionar ese tipo de obras y programas. Todos los ordenadores modernos tienen recursos multimedia.

LAS TARJETAS: GRÁFICA Y DE VÍDEO

La tarjeta gráfica permite ver en la pantalla imágenes, dibujos y fotografías. La tarjeta de vídeo permite reproducir animaciones y películas. Los ordenadores modernos llevan incorporados estos elementos, además de las unidades de lectura y escritura de CD/DVD. Asimismo, el ordenador lleva incorporada una tarjeta de sonido, cuyos efectos se perciben a través de los altavoces.

LOS SONIDOS DE WINDOWS 8

Windows ofrece una herramienta muy útil para comprobar y gestionar los sonidos. Por ejemplo, si usted trata de reproducir una película y no se oye el sonido, puede comprobar si el fallo se debe a los altavoces, a la tarjeta de sonido o al reproductor de vídeo.

PRÁCTICA:

Compruebe el sonido de su equipo

1. Haga clic en el mosaico Panel de control.
2. En la ventana del Panel de control, haga clic en Hardware y sonido.

3. Haga clic en la opción Cambiar sonidos del sistema.
4. Seleccione un sonido de la lista, por ejemplo, Asterisco o Aviso de calendario, y haga clic en Probar.
5. Despliegue las listas Sonidos y Combinación de sonidos si quiere elegir nuevos sonidos para las acciones de Windows. Por ejemplo, si hace clic en Abrir programa y la lista Sonidos indica ninguno, Windows no emitirá sonido alguno cuando ponga un programa en marcha. Si lo desea, puede elegir un sonido para esta acción.
6. Haga clic en Aceptar para cerrar la ventana Sonido.

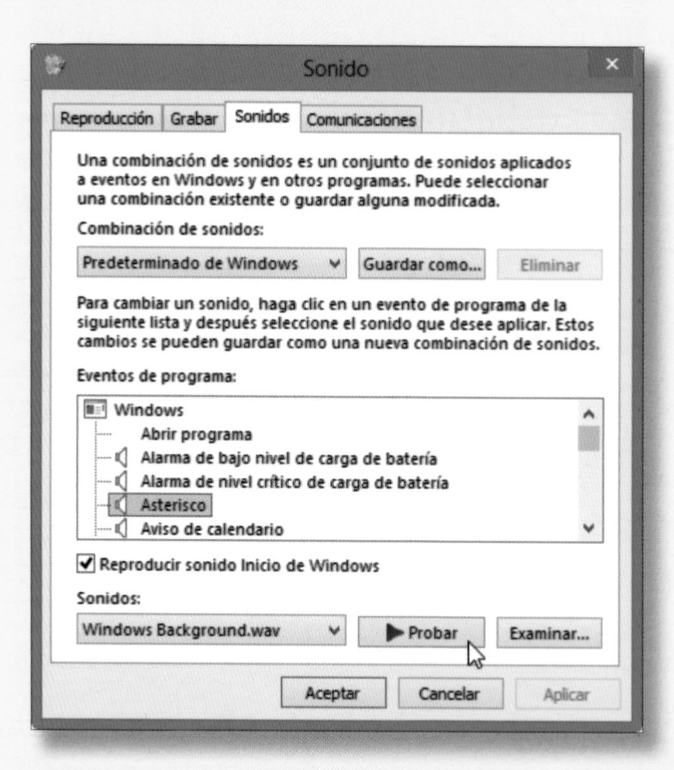

Figura 5.1. Control del sonido en el Panel de control.

Los altavoces

Si la prueba de sonido anterior fracasa, puede deberse a que sus altavoces estén apagados, silenciados o mal conectados.

- Si los altavoces van incorporados a la pantalla, como sucede con muchas pantallas planas, el volumen se puede controlar mediante el menú de la pantalla, al que se accede pulsando uno de los botones de la misma. Suele haber un botón con el icono de un altavoz y una flecha arriba o abajo para aumentar o disminuir el volumen o una opción en el menú de la pantalla. Compruebe que el volumen es correcto.
- Si los altavoces son autónomos, pueden llevar un botón de volumen. Compruebe que están bien conectados, encendidos y que el volumen es correcto.

Figura 5.2. Los botones para controlar el volumen y los graves.

Control del volumen de la tarjeta de sonido

La tarjeta de sonido del ordenador tiene también su propio control de volumen. Se trata de un icono con la forma de un altavoz, situado en el extremo derecho de la barra de tareas del Escritorio de Windows, en la esquina inferior derecha de la pantalla. Observe que, al aproximarle el ratón, aparece una información que lo indica.

Altavoces: 43%

PRÁCTICA:

Compruebe el volumen de la tarjeta de sonido

1. Haga clic sobre el altavoz de la barra de tareas para desplegar el control de sonido.
2. Haga clic en el control deslizante y, sin soltar el botón izquierdo del ratón, arrástrelo hacia arriba para aumentar el volumen o hacia abajo para disminuirlo.
3. Observe el pequeño icono de altavoz que aparece en la parte inferior. Si aparece con una marca roja, indica que se ha activado el silencio. Haga clic sobre el icono del altavoz para desactivarlo. Puede verlo en la figura 5.3.

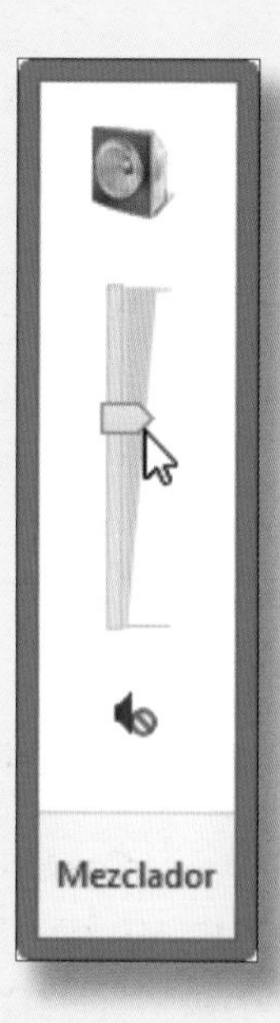

Figura 5.3. El control de volumen de la tarjeta de sonido.

4. Para ocultar el control de volumen, haga clic en una zona vacía del Escritorio.

Reproducción y grabación

Hay otra manera de acceder al cuadro de diálogo Sonidos para controlar directamente los sonidos de reproducción y grabación.

a) Para controlar el sonido de la reproducción, haga clic con el botón derecho en el icono del altavoz de la barra de tareas y seleccione Dispositivos de reproducción. Haga doble clic sobre el altavoz y después haga clic en Probar.

b) Para controlar el sonido de la grabación, haga clic con el botón derecho en el icono del altavoz de la barra de tareas y seleccione Dispositivos de grabación.

La grabadora de sonidos

Windows trae incorporado un dispositivo virtual que permite grabar sonido con un micrófono. Si su ordenador tiene un micrófono incorporado o usted dispone de un micrófono que pueda conectar en uno de los puertos de audio del equipo (los vimos en el capítulo 1), puede realizar la siguiente prueba de grabación de voz.

PRÁCTICA:

En primer lugar, pruebe el micrófono.

1. Conecte el micrófono al puerto de audio correspondiente que puede llevar un pequeño dibujo en forma de micrófono. También puede llevar la palabra "mic". Algunos ordenadores llevan puertos de audio en la parte delantera de la caja. Los ordenadores portátiles suelen llevar el micrófono incorporado.

2. Haga clic con el botón derecho en el icono de control de volumen para abrir el menú contextual y seleccione Dispositivos de grabación.
3. En la pestaña Grabar, haga clic en Micrófono. Hable o cante para comprobar el volumen. El sonido no debe saturar.
4. Si necesita aumentar el volumen de sonido en la grabación, haga clic en el micrófono para seleccionarlo y después haga clic en el botón **Propiedades**.
5. En el cuadro de diálogo Propiedades, seleccione la ficha Niveles y arrastre los controles deslizantes para ajustar el volumen.
6. Haga clic en **Aceptar** para cerrar cada cuadro.

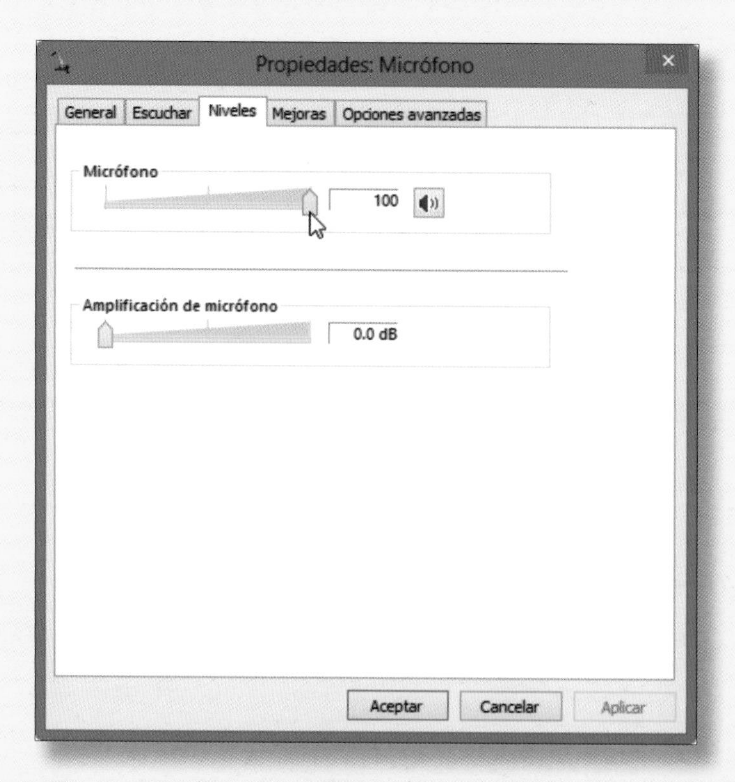

Figura 5.4. El cuadro Propiedades del micrófono permite controlar el volumen de la grabación.

PRÁCTICA:

Pruebe a grabar con la grabadora de Windows:

1. Haga clic en la lupa Buscar, en la esquina superior derecha de la pantalla Inicio de Windows y escriba `Grabadora` en la casilla de búsquedas.
2. Haga clic en el mosaico Grabadora de sonidos.

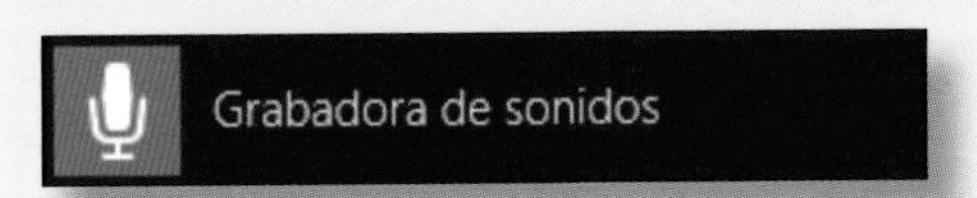

3. Cuando la grabadora aparezca en la pantalla, haga clic en el icono del micrófono.
4. Aproxímese al micrófono, dejando unos 15 centímetros de distancia, y diga una frase cualquiera. Observe que, mientras habla, la Grabadora muestra un movimiento de expansión.
5. Para hacer una pausa, haga clic en el botón que aparece bajo el icono de grabación. Podrá reanudarla haciendo clic en el botón de reproducción. Para detener la grabación, haga clic en el botón cuadrado.
6. Al detener la grabación, aparecerán los controles que muestra la figura 5.5. Ahora puede reproducir la grabación, cortarla, eliminarla o darle un nombre.
7. Para nombrar su grabación, haga clic en Cambiar nombre, escriba el nuevo nombre y haga clic en el botón **Cambiar nombre**.
8. La grabación se guardará en la aplicación Grabadora de sonidos. Si quiere enviarla por correo electrónico (puede enviarla a su propio correo para descargarla y copiarla a otra carpeta), haga clic en el mosaico de la grabación y después aproxime el ratón al borde derecho de la ventana para ver la columna de iconos.

Figura 5.5. La Grabadora de sonidos.

9. Haga clic en Compartir y después en Correo. Se abrirá la aplicación Correo de Windows. Envíe la grabación como un archivo adjunto a un mensaje de correo electrónico.

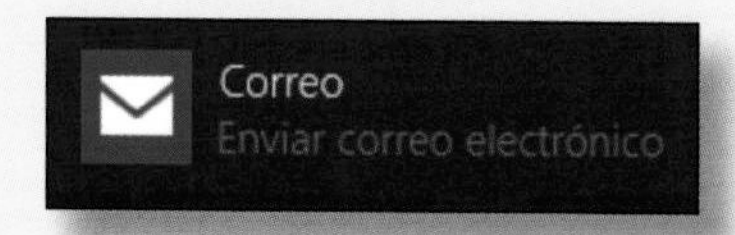

DISPOSITIVOS EXTERNOS DE IMAGEN, SONIDO Y VÍDEO

El ordenador permite conectar distintos aparatos externos de imagen, sonido y vídeo, siempre y cuando cumplan las normas que hemos mencionado para la impresora y el escáner.

Los discos multimedia

Además de los discos duros externos que hemos citado anteriormente y que permiten almacenar grandes cantidades de archivos y aplicaciones, incluyendo sonido y vídeo, existen en el mercado discos multimedia que se pueden conectar al ordenador o simplemente a una pantalla, para reproducir películas y archivos sonoros, pues cuentan con un mando a distancia y botones para gestionar la reproducción y la grabación. Algunos tienen TDT incorporado para ver la televisión digital, aunque su precio no compensa esta función, ya que se pueden encontrar en el mercado descodificadores TDT con grabador incorporado a precios muy bajos.

Otros dispositivos multimedia

Los modernos dispositivos que se utilizan para grabar y oír música, como los llamados Mp3, pueden almacenar no solamente música, sino también datos, imágenes o vídeo, copiándolos directamente del ordenador mediante un puerto USB.

Nota: Si dispone de un reproductor MP3, Mp4, iPod, etc., puede conectarlo al ordenador insertándolo en un puerto USB libre. También puede probar con una cámara fotográfica digital o un teléfono móvil para copiar fotografías al ordenador. El procedimiento es el mismo.

Reconocimiento de dispositivos externos

Si inserta un dispositivo Mp3, un teléfono móvil o una cámara de fotos en un puerto USB, Windows lo reconoce como dispositivo de sonido, dispositivo portátil o como un disco extraíble y le asigna una letra seguida de dos puntos, la siguiente a la última que tenga asignada, según el método siguiente.

- Las letras A: y B: están asignadas a dos posibles disqueteras, aunque el ordenador no tenga ninguna. Los ordenadores modernos no las utilizan.
- El disco duro llevará asignada la letra C:
- Si hay una unidad de CD/DVD, el sistema le habrá asignado la letra D:
- Si hay una segunda unidad de CD/DVD, por ejemplo, Blue Ray, le habrá correspondido la letra E:
- Si inserta un disco multimedia, un disco duro externo, una memoria externa, un Mp3, un móvil o una cámara fotográfica, el sistema le asignará la letra F: Y así sucesivamente.

Una vez reconocido el dispositivo, ya puede copiar en él los archivos de música o vídeo que tenga almacenados en el ordenador o trasladar los archivos de imagen, sonido o vídeo del dispositivo al disco duro o a un disco duro externo. Utilice el Explorador de archivos para arrastrarlos de un elemento a otro. Después podrá extraer el dispositivo y reproducir en él los archivos copiados. Recuerde que, antes de extraerlo, conviene hacer clic en el botón **Quitar hardware de forma segura**, como vimos en el capítulo 3.

PRÁCTICA:

Para copiar los archivos Mp3 del disco duro al reproductor de Mp3, haga lo siguiente:

1. Inserte el dispositivo en un puerto USB.
2. Si es la primera vez, Windows mostrará una indicación en la barra de tareas informando de que está instalando el nuevo dispositivo. La instalación es totalmente automática.

3. Al finalizar la instalación, encontrará el dispositivo en la zona izquierda de la ventana del Explorador de archivos de Windows, con una letra asignada.

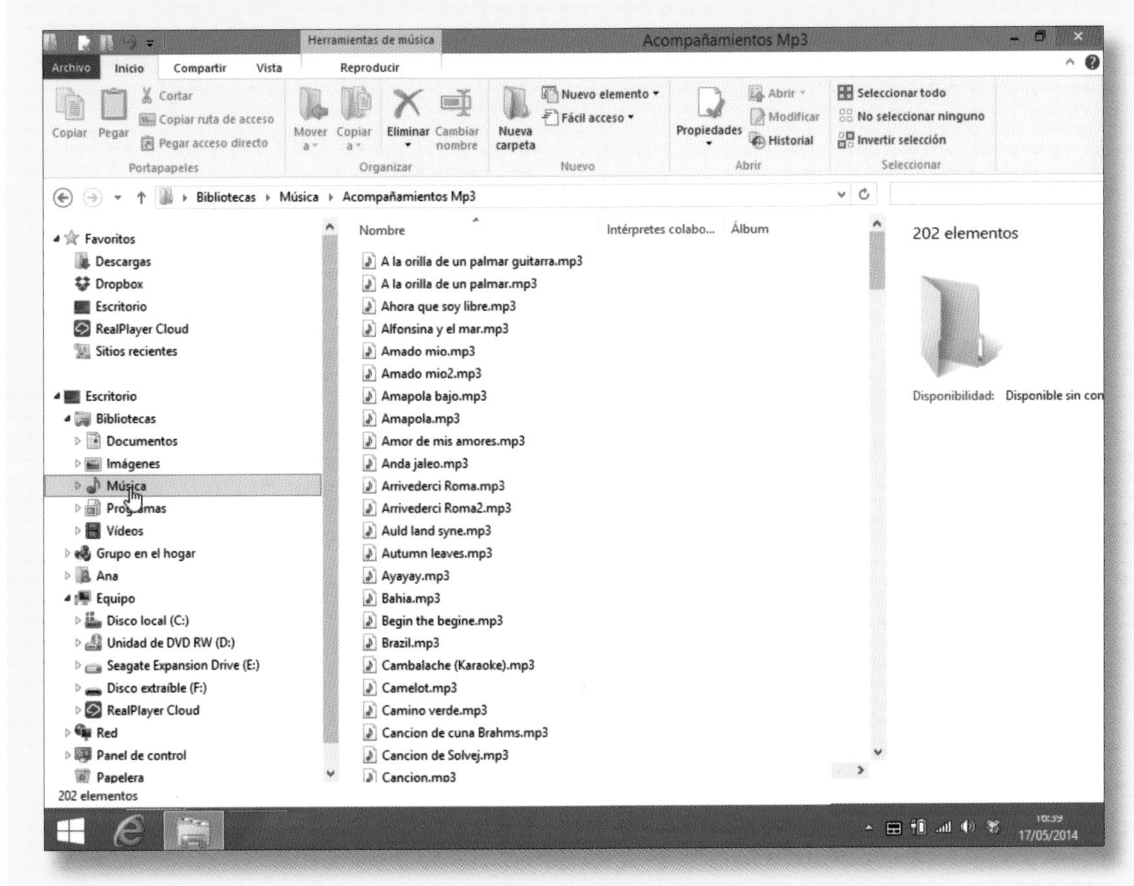

Figura 5.6. El reproductor de Mp3 aparece en el Explorador de archivos como un disco extraíble con la letra F asignada.

4. Observe la figura 5.6. El Mp3 tiene asignada la letra F y se encuentra bajo el disco externo Seagate que tiene asignada la letra E, la unidad de DVD que tiene la letra D y el disco duro que tiene la letra C. El contenido de la biblioteca Música se halla desplegado en la zona central del Explorador porque la biblioteca Música está seleccionada. Puede ver el ratón sobre ella con forma de mano.

5. Para copiar archivos del ordenador al dispositivo, haga clic en la carpeta del ordenador en la que se encuentren los archivos a copiar, por ejemplo, Música, para copiar archivos sonoros, Imágenes, para copiar imágenes o fotografías, Vídeos, para copiar archivos de vídeo. Los archivos aparecerán en la ventana central del Explorador, al hacer clic en la carpeta que los contiene.
6. Haga clic en uno de los archivos en la zona central y, sin soltar el botón del ratón, arrástrelo hasta colocarlo encima del disco extraíble, en la zona izquierda. Cuando el archivo a copiar aparezca encima del disco extraíble, suelte el botón del ratón.
   - Para copiar varios archivos a la vez, selecciónelos todos y arrástrelos sobre el dispositivo externo. Para seleccionar archivos contiguos debe hacer clic en el primero, pulsar la tecla **Mayús** y hacer clic en el último. Para seleccionar archivos no contiguos, mantenga pulsada la tecla **Control** y haga clic en todos los que desee seleccionar.

7. Cuando termine de copiar los archivos, cierre el Explorador de archivos haciendo clic en el botón **Cerrar**, que tiene forma de aspa, situado en la esquina superior derecha.

Los comandos Copiar y Pegar

Si le resulta incómodo copiar los archivos arrastrándolos con el ratón, siempre puede utilizar los comandos Copiar y Pegar.

PRÁCTICA:

Practique con los comandos Copiar y Pegar:

1. Haga clic en la pestaña Inicio de la cinta de opciones del Explorador de archivos.
2. Haga clic en el archivo a copiar, en la zona central del Explorador. Si son varios, utilice las teclas **Mayús** o **Control** como hemos indicado anteriormente.
4. Haga clic en la opción Copiar de la cinta de opciones.
5. Haga clic en la carpeta de destino, en la zona izquierda del Explorador, en este caso, en el disco F que es el Mp3.
6. Haga clic en la opción Pegar de la cinta de opciones.

LOS MOSAICOS MÚSICA Y VÍDEO

Los mosaicos Música y Vídeo de Windows 8 permiten la reproducción de archivos de sonido o vídeo. Para reproducir una melodía o un vídeo, solamente hay que hacer clic sobre él, pero para ello es necesario que forme parte de la biblioteca de Windows. Windows agrega automáticamente a esta biblioteca los archivos de vídeo almacenados en la biblioteca Vídeos y los archivos de audio almacenados en la biblioteca Música.

Truco: Tanto el mosaico Vídeo como el Reproductor de Windows Media reproducen únicamente formatos digitales de vídeo, es decir, archivos de vídeo que llevan la terminación .avi. .mp4, etc. Para reproducir DVD, instale un reproductor de vídeo en el equipo, como RealPlayer o WinAmp, que se descargan gratuitamente de Internet.

PRÁCTICA:

Reproduzca un vídeo con el mosaico Vídeo:

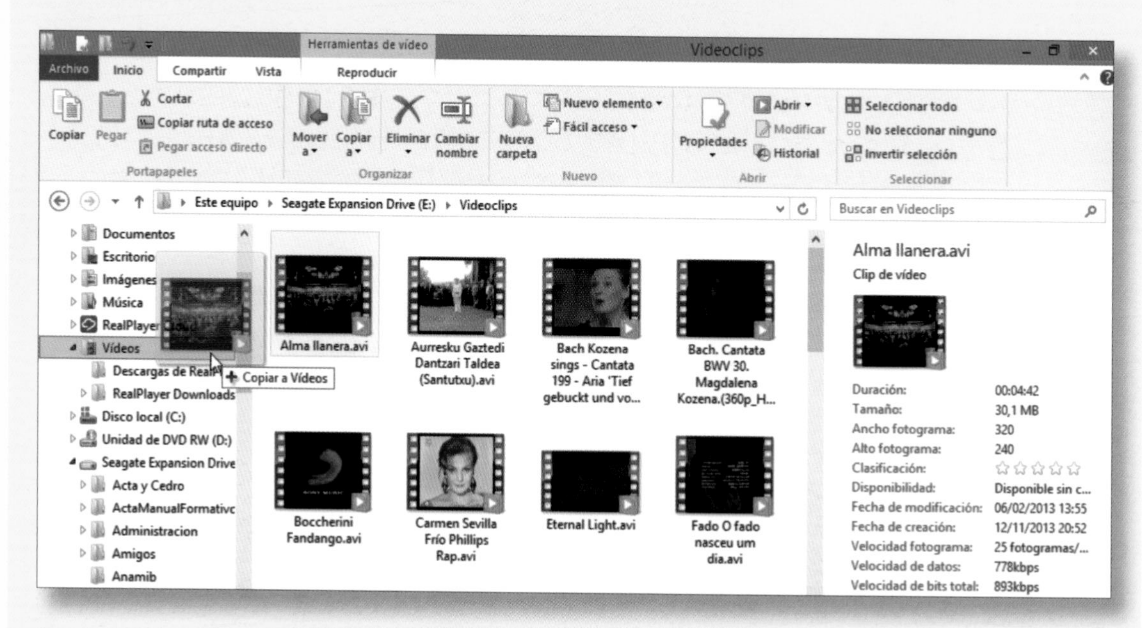

Figura 5.7. Arrastre el vídeo a la biblioteca Vídeos con el Explorador de archivos.

1. En el Escritorio de Windows, abra el Explorador de archivos.
2. Localice el vídeo en la ubicación en que se encuentre y haga clic sobre él para que aparezca en la ventana central del Explorador. Si no lo localiza, haga clic en la lupa de la casilla de búsquedas y escriba el nombre del vídeo.
3. Haga clic sobre el vídeo, arrástrelo con el ratón y suéltelo sobre la biblioteca Vídeos, en la zona izquierda del Explorador.
4. Haga clic en el botón **Inicio**, en la esquina inferior izquierda del Escritorio, para acceder a la pantalla Inicio y haga clic en el mosaico Vídeo.

- Para poner el vídeo en marcha, solamente tiene que hacer clic sobre él.
- Para detener la reproducción, haga clic en **Pausa** y, para continuar, en **Reproducir**.
- Para finalizar, cierre la ventana haciendo clic en el botón rojo con forma de aspa que aparece en la esquina superior derecha al acercar el ratón.

Figura 5.8. Reproduzca el vídeo con el mosaico Vídeo.

Truco: Para localizar con el mosaico Música un archivo sonoro copiado a la biblioteca Música, haga clic en Colección.

Colección

LA WEBCAM

La cámara Web o webcam permite ver en la pantalla del ordenador a la persona con la que se establece comunicación. Si se dispone de un micrófono, además de verse es posible hablarse.

Estas cámaras se conectan al ordenador a través de un puerto USB. Llevan un programa para controlar su funcionamiento aunque no suele ser necesario porque Windows las reconoce e instala automáticamente. Algunas llevan el micrófono incorporado. Los ordenadores portátiles modernos llevan la webcam y el micrófono incorporados y activados.

Se utilizan frecuentemente con programas de mensajería instantánea para comunicarse por videoconferencia a través de Internet.

El mosaico Cámara

Windows ofrece el mosaico Cámara para el trabajo con la webcam.

PRÁCTICA:

Haga una fotografía con la webcam de su equipo:

1. Coloque el objeto a fotografiar delante de la webcam. Si tiene un portátil, la cámara apunta al frente.

2. En la pantalla Inicio de Windows, haga clic en el mosaico Cámara.
3. Haga clic en el icono de la cámara. Windows le pedirá permiso para anotar la ubicación del lugar donde se ha tomado la foto.
4. Para grabar vídeo o tomar una fotografía, haga clic en el icono correspondiente.

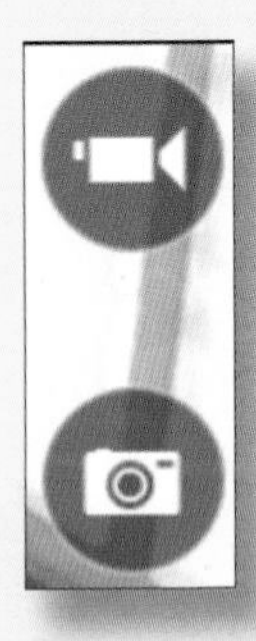

Figura 5.9. Los botones para tomar vídeo o fotografías.

El mosaico Fotos de Windows

Windows ofrece el mosaico Fotos para visualizar imágenes.

PRÁCTICA:

Retoque la fotografía tomada con la webcam:

1. Haga clic en la flecha abajo para acceder a las Aplicaciones de Windows y haga clic en el mosaico Fotos.

2. La ventana mostrará las imágenes que haya digitalizado con el escáner o tomado con la cámara. Haga doble clic en Álbum de cámara.
3. Haga clic en la fotografía y observe el menú que aparece en la parte inferior de la ventana, con iconos para retocarla. Pruébelos.
   - Haga clic en Editar para retoques de luz, brillo, etc. Haga clic con el botón derecho para abrir un menú en la parte inferior de la ventana, con opciones para modificarla.
   - Haga clic en Abrir con para abrir la fotografía con otro programa, por ejemplo, el Visualizador de fotos de Windows, que tiene la opción Imprimir.

Figura 5.10. La fotografía y el menú en el mosaico Fotos.

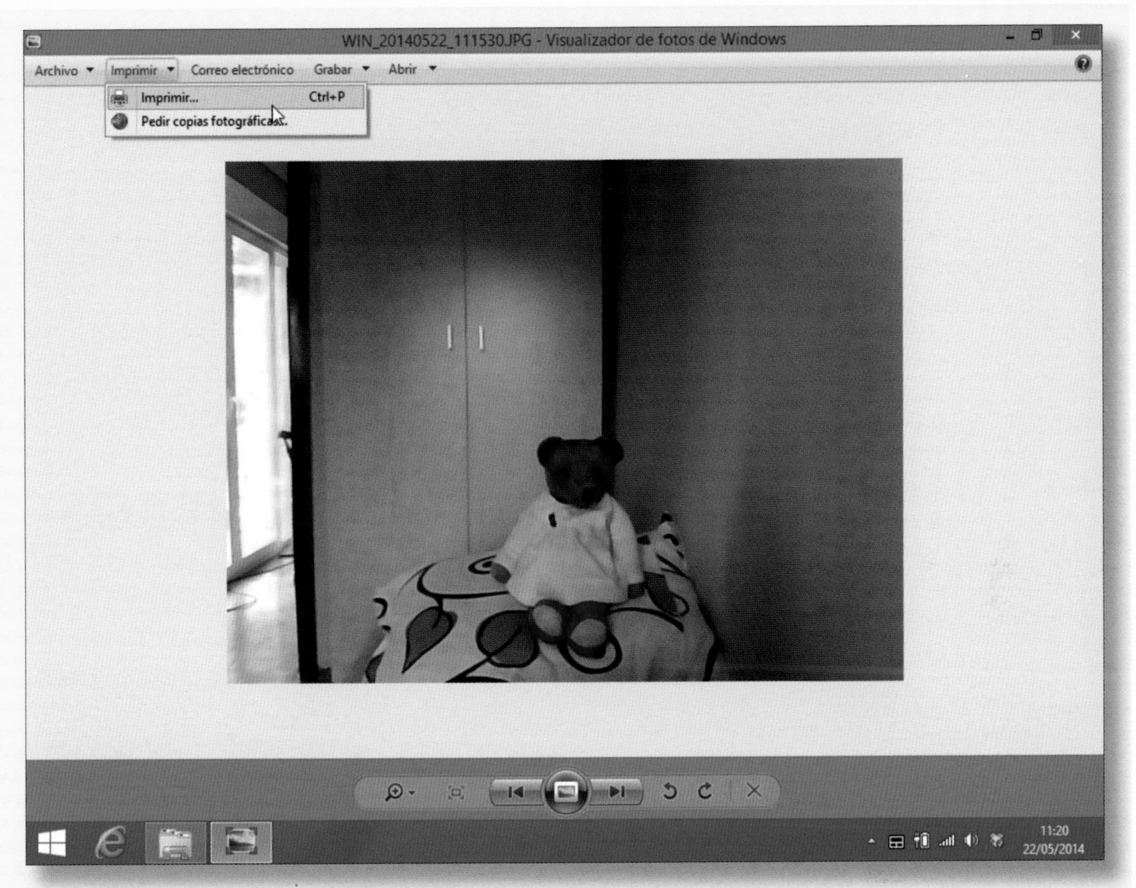

Figura 5.11. La fotografía y la opción Imprimir en el Visualizador de fotos de Windows.

6

PRÁCTICA DE LOS RECURSOS MULTIMEDIA

Los archivos que contienen música o vídeo ocupan un gran espacio en el disco duro y eso dificulta el poderlos transportar fuera del ordenador. Por ello, se utilizan tecnologías que los comprimen y, una vez comprimidos, es mucho más fácil cargarlos o descargarlos de Internet, enviarlos por correo electrónico o guardarlos en un soporte externo, como un disco o un reproductor de Mp3.

EL TAMAÑO DE LOS ARCHIVOS

El byte es la unidad de almacenamiento más común en informática y equivale a un carácter alfanumérico, es decir, a una letra o a un número.

La capacidad de almacenamiento de los ordenadores modernos alcanza miles de millones de estas unidades e, incluso, billones de letras o de números.

- Mil bytes equivalen a 1 kilobyte (KB).
- Un millón de bytes equivalen a un megabyte (MB).
- Mil millones de bytes equivalen a un gigabyte (GB).
- Un billón de bytes equivalen a un terabyte (TB).

PRÁCTICA:

Para ver el tamaño de los archivos, haga lo siguiente:

1. En el Escritorio de Windows, ponga en marcha el Explorador de archivos haciendo clic en el botón de la barra de tareas.

2. Localice un archivo de sonido en su equipo, por ejemplo, en la biblioteca Música o bien en un disco externo, un reproductor de Mp3 o un CD.

3. Con el archivo sonoro seleccionado, haga clic en la opción Vista de la cinta de opciones del Explorador y seleccione Panel de detalles. Observe la información del archivo que aparece en la zona derecha del Explorador

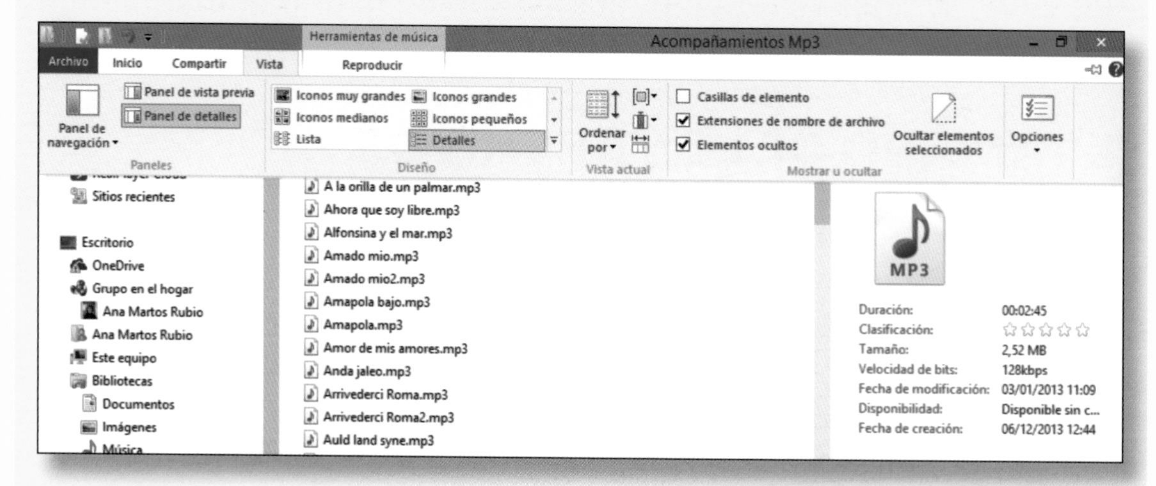

Figura 6.1. El Panel de detalles muestra los datos del archivo.

Truco: De forma predeterminada, Windows no muestra las terminaciones de los archivos y programas. Para poder ver la terminación .mp3, .avi, .jpg, etc., haga clic en la pestaña Vista de la cinta de opciones de Explorador y active las casillas de verificación Extensiones de nombres de archivo y Elementos ocultos.

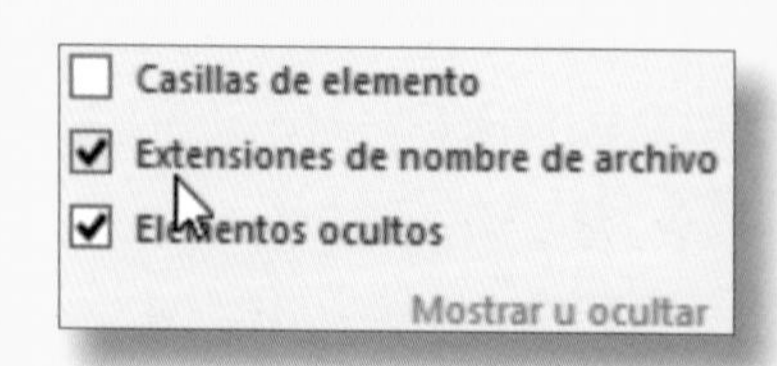

EL REPRODUCTOR DE WINDOWS MEDIA

Además de los mosaicos Música, Fotos y Vídeo, Windows 8 incluye el Reproductor de Windows Media cuyo mosaico se encuentra entre las Aplicaciones, en el grupo Accesorios de Windows.

Puede anclarlo a la pantalla Inicio, a la barra de tareas o cambiarlo de lugar si lo desea.

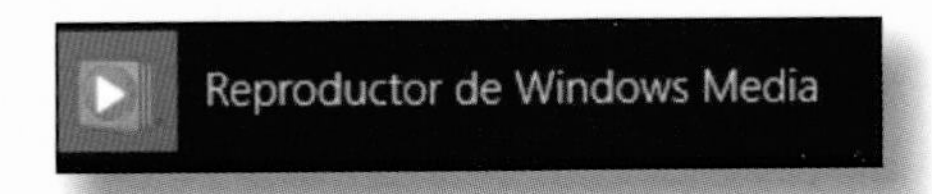

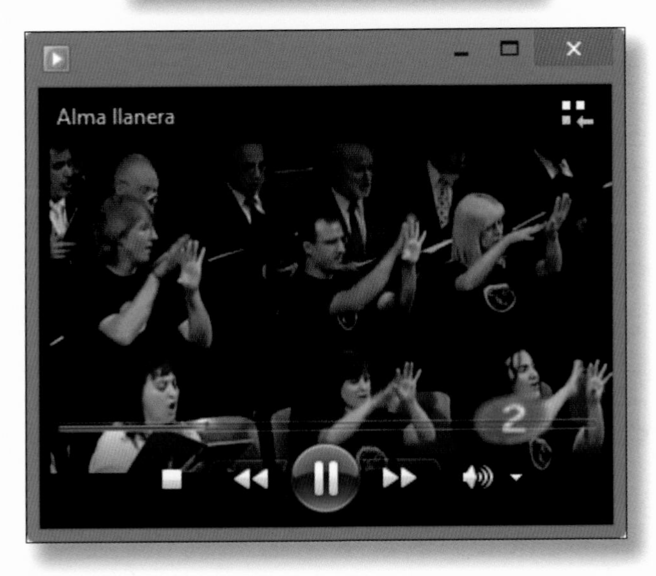

Figura 6.2. El Reproductor de Windows Media.

Advertencia: Recuerde que el Reproductor de Windows Media no reproduce DVD, sino formatos digitales como Avi o Mp4. Si inserta un DVD en la unidad de DVD de su equipo, la Reproducción automática le ofrecerá abrirlo con otro reproductor multimedia que tenga instalado, por ejemplo, RealPlayer. Sin embargo, si inserta un CD de música, la Reproducción automática sí le ofrecerá reproducirlo con el Reproductor de Windows Media.

PRÁCTICA:

Reproduzca un archivo de sonido o vídeo con el Reproductor de Windows Media:

1. Localice el archivo con el Explorador de archivos y haga clic sobre él con el botón derecho del ratón.
2. Seleccione Abrir con en el menú contextual.
3. En el cuadro de diálogo Abrir con, haga clic en Reproductor de Windows Media.

Abrir y cerrar el Reproductor de Windows Media

Para abrir el Reproductor de Windows Media, haga clic en su mosaico. También puede anclarlo a la barra de tareas del Escritorio y ponerlo en marcha haciendo clic en el botón.

Para cerrar el Reproductor, hay que hacer clic en el botón rojo con forma de aspa que se ve en la esquina superior derecha de la ventana.

Vista en modo Pantalla completa

Para ver una película en toda la pantalla del ordenador, haga clic en el botón **Ver a pantalla completa** situado en el extremo inferior derecho de la ventana del Reproductor.

Los menús del Reproductor de Windows Media

El Reproductor de Windows Media ofrece un menú de opciones que se despliega de dos maneras:

- Haciendo clic con el botón derecho del ratón en la parte superior de la ventana para activar el menú contextual. El menú se cierra después de utilizarlo.

- Seleccionando en el menú contextual la opción Mostrar barra de menús. Los menús quedan fijos en la parte superior del Reproductor. Puede verlos en la figura 6.3, en la parte superior de la ventana, encima del cuadro de diálogo Abrir.

Las listas de reproducción

Las listas de reproducción son conjuntos de archivos sonoros que el Reproductor de Windows Media ejecuta secuencial o aleatoriamente. El modo de reproducción se elige haciendo clic en el menú Reproducir>Orden aleatorio. Si esta opción no está seleccionada, la reproducción será secuencial. También se puede seleccionar Repetir en este mismo menú.

PRÁCTICA:

Cree una lista de reproducción:

1. Ponga en marcha el Reproductor de Windows Media, active la barra de menú y haga clic en Archivo>Abrir.
2. Localice y seleccione los archivos sonoros con el cuadro de diálogo Abrir. Recuerde que puede utilizar las teclas **Mayús** y **Control** para seleccionar varios archivos.
3. Las pistas de sonido aparecerán en la zona derecha del Reproductor y empezarán a sonar. Haga clic en la casilla que indica Lista de reproducción no guardada, situada inmediatamente encima de las pistas sonoras.

4 Escriba un nombre para la lista y pulse la tecla **Intro**. La nueva pista de reproducción aparecerá en la zona izquierda del Reproductor, bajo el epígrafe Listas de reproducción.

5. Haga clic con el botón derecho sobre ella para reproducirla o eliminarla. También podrá modificarla haciendo clic en la pestaña Reproducir.

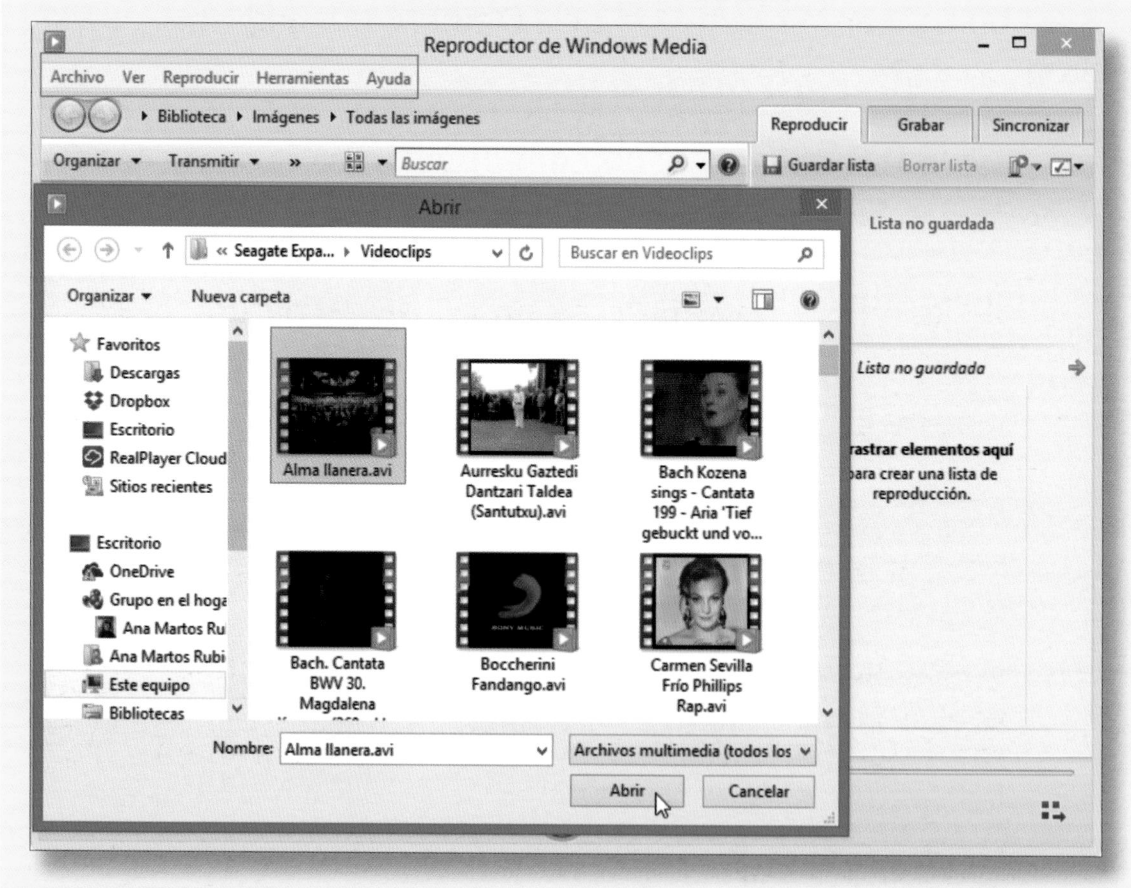

Figura 6.3. El cuadro de diálogo Abrir y el menú del Reproductor de Windows Media.

6. Para agregar una nueva pista a una lista de reproducción, cárguela con el cuadro de diálogo Abrir y, una vez en la zona de reproducción del Reproductor de Windows Media, haga clic sobre ella con el botón derecho del ratón y seleccione Agregar a y luego haga clic en el nombre de la lista de reproducción a la que desea añadir esta pista. También puede quitar pistas de una lista de reproducción con este menú.

Copiar pistas de CD al equipo

El Reproductor de Windows Media permite copiar al disco duro o a un disco externo las pistas de sonido de un CD. De esta forma, podrá combinar pistas de CD diferentes y grabar sus propios discos musicales.

PRÁCTICA:

Copie las pistas de sonido de un CD al disco duro de su ordenador:

1. Inserte un CD de música en la unidad de CD/DVD del ordenador.
2. En la ventana Reproducción automática, haga clic en la opción Reproducir CD de audio en el Reproductor de Windows media.
3. Haga clic en la opción Cambiar a biblioteca, en la esquina superior derecha de la ventana de la reproducción. Las pistas del disco aparecerán en la Biblioteca del Reproductor.

5. Seleccione las pistas del disco que desee copiar y haga clic en el botón **>>Mostrar comandos adicionales**. Cuando se despliegue el menú, haga clic en la opción Copiar desde CD.

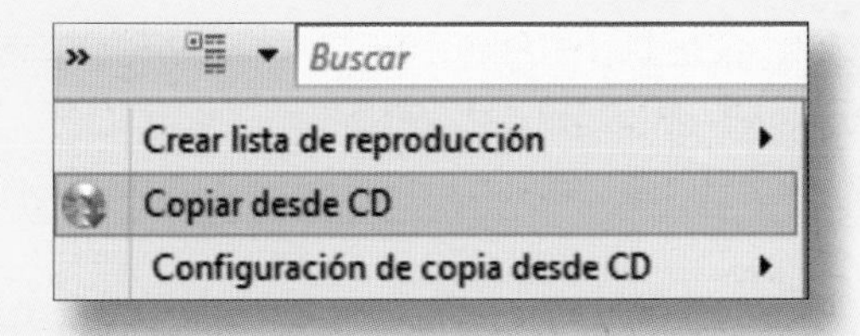

Figura 6.4. Copiar desde CD.
Hay que hacer clic en el botón **>>**.

Las pistas seleccionadas se copiarán a la biblioteca Música y podrá reproducirlas con el mosaico Música, de modo similar a lo que vimos con el vídeo. Podrá encontrar sus pistas de música haciendo clic en Colección, como muestra la figura 6.5. Observe los botones para controlar la reproducción. Acerque el ratón a cada uno de ellos para ver su función.

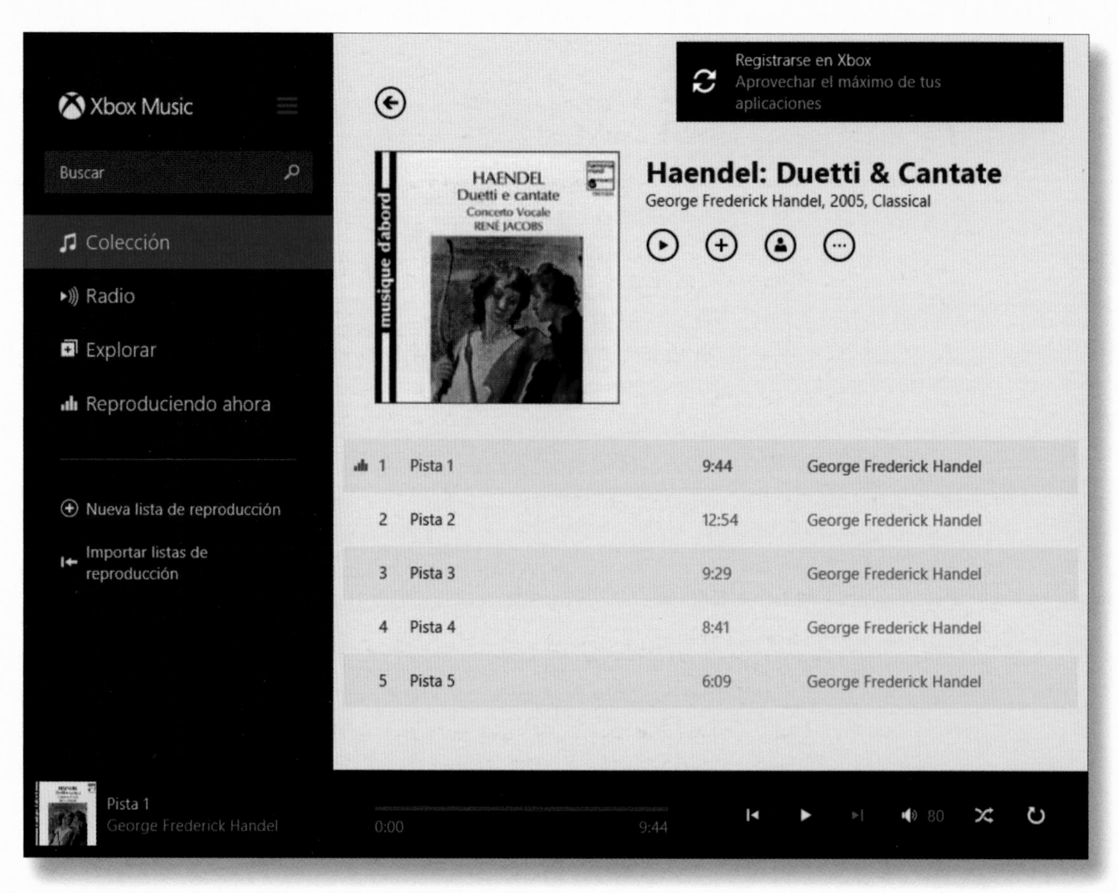

Figura 6.5. Reproduzca pistas de audio con el mosaico Música.

Convertir a Mp3

Las pistas copiadas se almacenan en el disco duro con el formato predeterminado, pero puede almacenarlas en otros formatos, por ejemplo, Mp3, para copiarlas a un reproductor de Mp3.

PRÁCTICA:

Para convertir pistas de un CD al formato Mp3, haga lo siguiente:

1. En el Reproductor de Windows Media, haga clic en el menú Herramientas>Opciones.
3. En el cuadro de diálogo Opciones, haga clic en la pestaña Copiar música desde CD.
4. Observe que el formato predeterminado de grabación es Audio de Windows Media. Haga clic en la lista desplegable y seleccione Mp3, como muestra la figura 6.6.

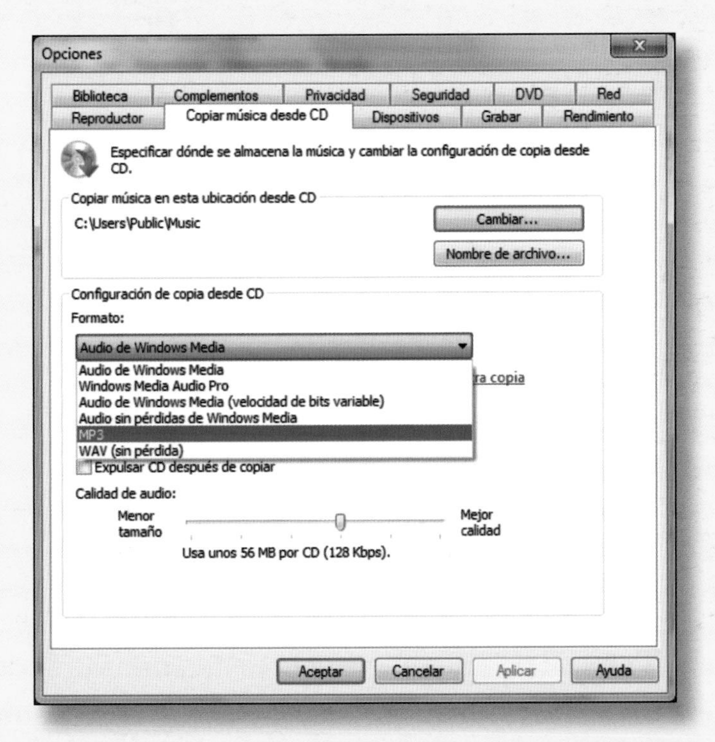

Figura 6.6. Aquí puede elegir el formato de grabación de audio.

5. Haga clic en **Aceptar**. A partir de ahora, todos los discos de audio que copie al disco duro llevarán ese formato. Si quiere volver al formato anterior, repita la operación.

Grabar discos

Una vez que tenga varias pistas de sonido en el disco duro del ordenador, puede grabar fácilmente un CD.

PRÁCTICA:

Grabe un disco con pistas de sonido almacenadas en su ordenador

1. Ponga en marcha el Reproductor de Windows Media y haga clic en Archivo>Abrir.
2. Con el cuadro de diálogo Abrir, seleccione las pistas de sonido a grabar. Si ha creado una lista de reproducción, puede grabarla directamente haciendo clic con el botón derecho sobre la lista en la zona izquierda del Reproductor y seleccionando en el menú Agregar a>Lista de grabación.
3. Haga clic en la pestaña Grabar.
4. Haga clic en cada una de las pistas a grabar y arrástrelas a la lista de grabación de la derecha.
5. Introduzca un CD virgen en la grabadora.
6. Haga clic en **Iniciar grabación**.
7. Cuando finalice, podrá escuchar el CD en cualquier equipo de música.

Truco: Si ha copiado las pistas del CD al disco duro en formato Mp3, puede copiarlas directamente a un lápiz de memoria, disco externo o Mp3, arrastrándolas con el Explorador de archivos. Si decide grabar un CD con música en formato Mp3, copie los archivos como datos, no como música. Lo mismo se puede aplicar a grabar un vídeo digital, con formato .avi. .mp4, etc. Puede verlo en la práctica siguiente.

Info: En el argot informático, se llama tostar o quemar discos (en inglés, *burn*) a copiarlos porque, al escribir en un disco, se quema una de las capas fotosensibles que lo componen.

GRABAR DATOS, IMÁGENES Y VÍDEO

El Explorador de archivos de Windows tiene opciones para grabar datos del disco duro a un CD o DVD grabable o regrabable.

PRÁCTICA:

Pruebe a grabar en un disco documentos, textos, imágenes, sonido o vídeos digitales almacenados en su ordenador:

1. En la zona izquierda del Explorador de archivos, haga clic en la carpeta que contiene los archivos a grabar, para que aparezcan en la zona central.
2. En la zona central, seleccione los archivos a grabar. Utilice las teclas **Mayús** y/o **Control** para seleccionar archivos contiguos o no contiguos.
3. Introduzca un disco grabable o regrabable en la unidad de CD/DVD y haga clic en la opción Grabar en disco. La encontrará en la pestaña Compartir de la cinta de opciones del Explorador de archivos.
4. Al terminar, compruebe la grabación haciendo clic en la unidad de CD/DVD y haciendo doble clic sobre los archivos grabados para ejecutarlos.

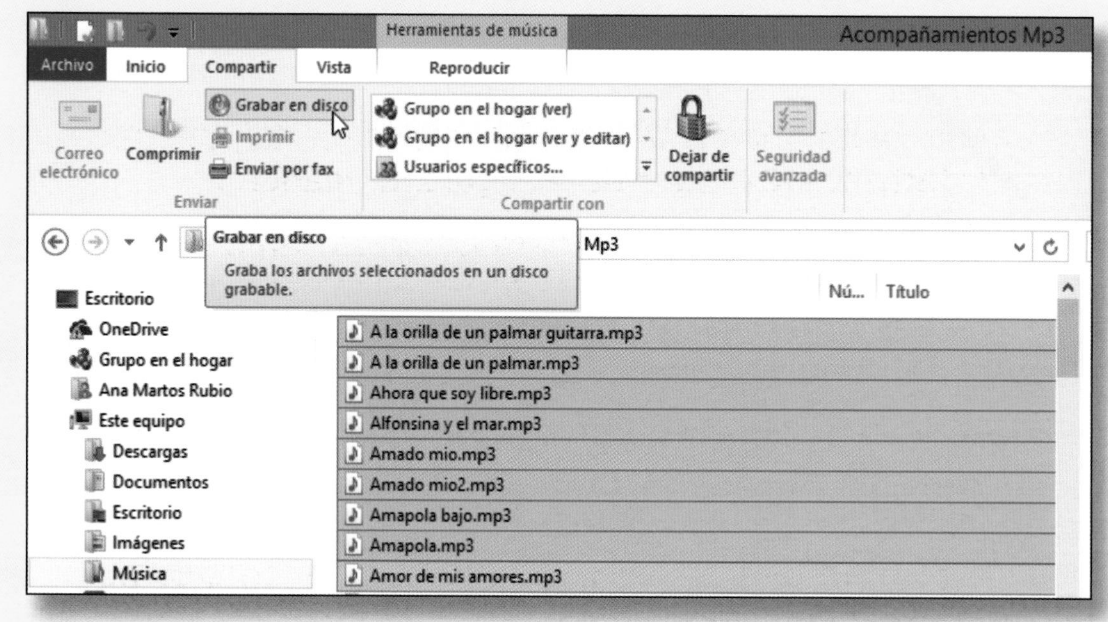

Figura 6.7. Grabe un disco con el Explorador de archivos.

CONECTAR UNA CÁMARA DIGITAL

Las modernas cámaras digitales, ya sean de fotografías o de vídeo, se conectan al ordenador para volcar en el disco duro las fotografías o la película y visualizarlas después en la pantalla. Una vez almacenadas en el disco duro, también se puede grabar un CD con las fotografías o un DVD con las películas y verlas en la pantalla del televisor. Los reproductores de DVD suelen reproducir fotografías digitales en los formatos habituales como JPEG o PNG.

Nota: JPEG es un formato de archivos de imagen que las comprime para que ocupen menos espacio sin perder calidad. Muchas cámaras fotográficas digitales crean ese tipo de imágenes. Además si su ordenador tiene una ranura para insertar la tarjeta de la cámara de fotos, no necesita conectar la cámara. Basta con introducir la tarjeta en la ranura para acceder a las fotografías. Windows la detectará automáticamente.

PRÁCTICA:

Si dispone de una cámara de fotografía digital, puede conectarla al ordenador de la siguiente manera:

1. Conecte el cable a la cámara por el extremo opuesto al conector USB. Suele ser el conector más estrecho. La cámara ha de tener una entrada en la que se ajuste perfectamente el conector del cable.
2. Conecte el otro extremo del cable a un puerto USB del ordenador y encienda la cámara.
3. Cuando Windows detecte la cámara, la considerará un nuevo disco extraíble y le asignará una letra, como vimos al conectar el Mp3.
4. Ahora puede copiar o mover las fotografías a otro lugar del ordenador o a otro dispositivo externo, como un lápiz de memoria o un disco. Si lo lleva a una tienda, se las imprimirán en pocos minutos.

Gestión de imágenes

A la hora de decidir el mejor formato para almacenar una fotografía, conviene tener en cuenta lo siguiente:

- Para mantener siempre la calidad original, conviene guardar el original en formato bmp o tiff.
- Si hay que imprimirla, conviene imprimirla en ese formato, para que no se deteriore. Si hay que llevar numerosas fotografías a imprimir a la tienda, se pueden almacenar en formato jpeg para que quepan más en el CD o el lápiz de memoria. Al tratarse de la primera copia del original, no perderán calidad, pero si hay que copiarlas de nuevo, conviene copiarlas siempre del original, nunca hacer copia de copia.

- Si hay que hacer copias o bien modificar la fotografía, se deben guardar con otro nombre para mantener el original intacto.
- Si hay que enviarla por Internet, la copia debe hacerse en formato jpeg o png, para que no ocupe espacio ni pierda calidad.

Truco: Paint, la aplicación de dibujo de Windows, es capaz de convertir imágenes a distintos formatos. Abra la fotografía en Paint (seleccionando Abrir con>Paint en el menú contextual del botón derecho), después haga clic en Archivo>Guardar como y seleccione el formato adecuado en el menú Guardar como.

Figura 6.8. El menú Guardar como de Paint.

PRÁCTICA:

Visualice e imprima una fotografía.

1. Localice una fotografía con el Explorador de archivos.
2. Haga clic sobre ella con el botón derecho del ratón y seleccione Abrir con>Visualizador de fotos de Windows en el menú contextual.
3. Si la foto está en sentido horizontal y quiere enderezarla, haga clic en el botón **Girar hacia la derecha**, situado en la barra de herramientas inferior del Visualizador. Tiene forma de flecha girando.
5. Para imprimirla, haga clic en el menú Imprimir.
6. Acerque el ratón a los botones y haga clic en las opciones de menú para ver las tareas que puede realizar.

Figura 6.9. La fotografía en el Visualizador de fotos de Windows.

A

Apéndice

FORMATOS DE ARCHIVOS MULTIMEDIA

Existen numerosos formatos de archivos tanto de imagen, como de audio y de vídeo. Veamos los más utilizados.

Formatos de audio

Hay tres grupos principales de formatos de archivo de audio:

- Formatos de audio sin comprimir: Wav o Au. Ofrecen buena calidad pero con un tamaño muy grande.
- Formatos de audio comprimido sin pérdida de calidad: Flac, Mpeg, WavPack, Shorten, Tta, Atrac, Apple Lossless y Wma Lossless. Ofrecen buena calidad con un tamaño inferior a los anteriores.
- Formatos de audio comprimido con pérdida: MP3, Vorbis, o Wma. A cambio de menor tamaño, estos archivos ofrecen menos calidad de audio.

Formatos de vídeo

Muchos reproductores de vídeo modernos llevan la inscripción DivX, para anunciar que pueden reproducir vídeos en formato digital comprimido.

DivX es un formato de vídeo que se combina con el formato de audio Mp3 y ofrece una calidad de imagen superior a la del VHS.

Los archivos de vídeo son contenedores que empaquetan audio y vídeo en un mismo fichero. Los más comunes son:

- **Asf**. Es un formato de Microsoft que contiene archivos Wma y Wmv, que son los que utiliza el Reproductor de Windows Media de Microsoft.

- **Avi**. Es un formato contenedor que almacena audio y vídeo. Para poder interpretarlo, es preciso un programa conocido como códec. Se pueden reproducir con todos los reproductores de vídeo tanto digitales como modelos físicos modernos.
- **Mov**. Normalmente, el Reproductor de Windows Media no es capaz de reproducir este tipo de archivos. Es preciso disponer de un reproductor como QuicTime Player, de Apple, que se descarga gratuitamente de Internet en la dirección `www.apple.com/es/quicktime/download`
- **Mp4**. Almacena formatos audiovisuales. Normalmente, todos los reproductores tanto virtuales como físicos, modernos, pueden reproducirlo.
- **Matroska (mkv)**. Un contenedor capaz de almacenar audio, vídeo, imagen y subtítulos en un solo archivo. Son muy útiles para grabar vídeos subtitulados, juegos o programas de televisión y dan muy buena calidad. Se pueden reproducir en un reproductor de vídeo físico moderno o en reproductores virtuales como RealPlayer o WinAmp.

Formatos de imagen

Los archivos de imagen pueden tener diversos formatos. Cada uno de ellos tiene sus características, sus ventajas y sus inconvenientes, lo que es preciso tener en cuenta a la hora de guardar las fotografías con un formato u otro.

Las imágenes que capturan las cámaras digitales se almacenan como mapas de bits. Son imágenes formadas por puntos individuales llamados píxeles. Estas imágenes tienen una resolución fija que se mantiene siempre y pierden calidad al aumentar de tamaño.

La figura Ap.1 muestra una imagen de mapas de bits ampliada en la pantalla. Obsérvese que pueden verse los píxeles.

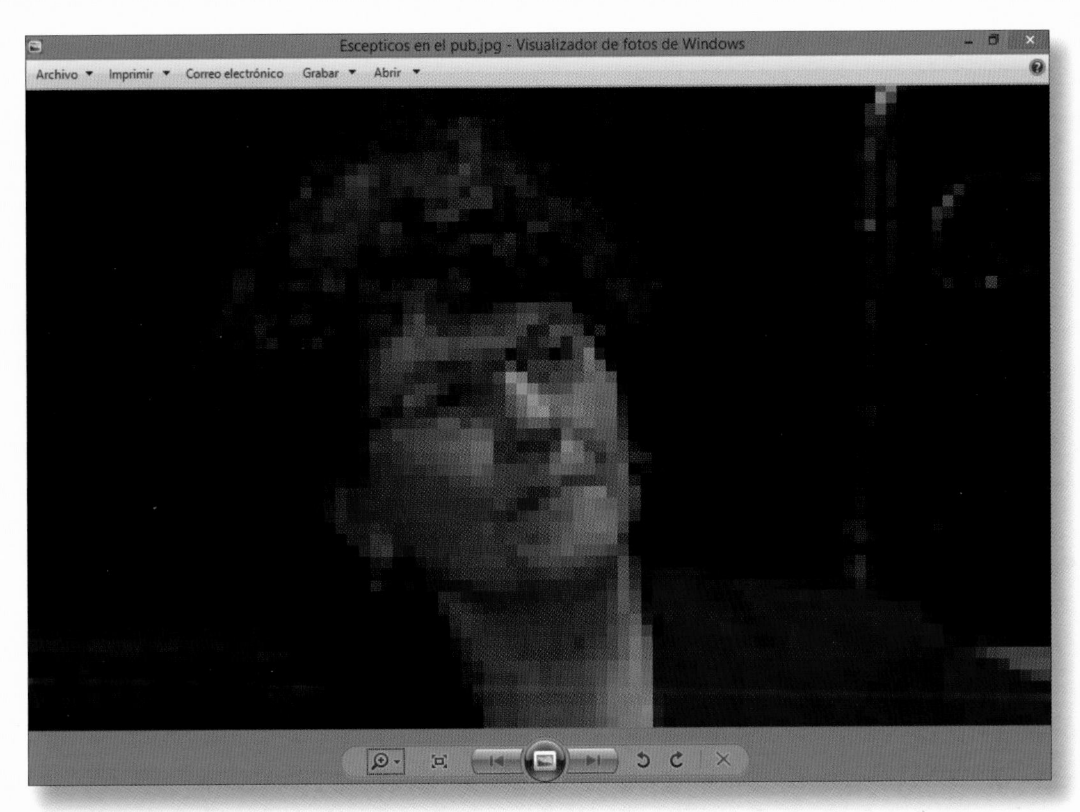

Figura Ap.1. La imagen de mapas de bits ampliada muestra los píxeles que la forman.

La mayoría de los programas que utilizamos corrientemente para trabajar con imágenes o fotografías las guardan en forma de mapas de bits con diversos formatos, que se reconocen por la terminación del nombre del archivo. Veamos los más comunes:

- **Bmp**. Es la contracción de *bitmap* que significa *mapa de bits*. La mayor ventaja de este tipo de archivos es que almacena todos los píxeles originales, por lo que la imagen no pierde calidad aunque se copie numerosas veces. El inconveniente es que ocupa mucho espacio y, por tanto, caben pocas imágenes de este tipo de un disco o en un lápiz de memoria. El tamaño es también es una desventaja a la hora de enviar este tipo de imágenes por correo electrónico, ya que tardan mucho tiempo en trasladarse de un lugar a otro y a veces bloquean el buzón del destinatario.

- **Tiff**. El formato tif es asimismo un formato de imagen de mapa de bits pero comprimido, de manera que ocupa un poco menos de espacio que el formato bmp, mientras sigue manteniendo prácticamente la misma calidad inicial.
- **Jpeg**. El formato jpg tiene un grado de compresión mucho mayor que el anterior, por lo que el tamaño de la imagen almacenada es mucho menor. Por eso se utiliza en Internet para enviar imágenes y fotografías por correo electrónico o para colocarlas en páginas Web. Este formato mantiene la calidad de la imagen mientras no se hagan copias. Cada vez que se abre una imagen guardada en formato jpeg y se vuelve a guardar, la copia va perdiendo calidad hasta deteriorarse completamente si se copia muchas veces.
- **Gif**. El formato gif tiene también un grado de compresión elevado y también pierde calidad con las copias. Es adecuado para dibujos geométricos e imágenes con líneas rectas. Se utiliza mucho en Internet para objetos animados insertados en páginas Web o emoticones insertados en los mensajes de correo electrónico o mensajería instantánea. Sólo admite 256 colores, por lo que no es adecuado para fotografías.
- **Png**. El formato png se creó para sustituir al formato gif en las imágenes que se manejan en Internet. Antes de comprimir la imagen, este tipo de archivos la somete a varios filtros para optimizar su calidad, por ello la mantiene en mayor grado que el formato GIF pero también ocupa más espacio.

Nombre	Tipo	Tamaño
Foto de boda familiar.bmp	Imagen de mapa ...	35.312 KB
Foto de boda familiar.gif	Imagen GIF	4.327 KB
Foto de boda familiar.jpg	Archivo JPG	1.787 KB
Foto de boda familiar.png	Imagen PNG	12.848 KB
Foto de boda familiar.tif	Imagen TIFF	31.874 KB

Figura Ap.2. Una imagen guardada en distintos formatos de archivo. Obsérvense los diferentes tamaños que alcanza.

TIPOS DE DISCOS

La tabla Ap.1 recoge los tipos de discos que admite el ordenador y que generalmente pueden compartirse con el equipo de música.

Tabla Ap.1. Tipos de discos compactos que admite el ordenador.

Siglas	Significado	Descripción
CD-ROM	Disco compacto de sólo lectura	Suele contener datos o imágenes para el ordenador. La información no se puede borrar ni modificar.
CD	Disco compacto de sólo lectura.	Suele contener música. La información no se puede borrar ni modificar.
CD R	Disco compacto grabable.	Puede contener datos, imágenes o música. Sólo se puede grabar una vez.
CD RW	Disco compacto regrabable	Puede contener datos, imágenes o música. Se puede grabar y borrar tantas veces como sea preciso.
DVD	Disco versátil digital	Suele contener vídeo. La información no se puede borrar ni modificar.
DVD R	Disco versátil digital grabable	Puede contener datos, imágenes, música o vídeo. Sólo se puede grabar una vez.
DVD RW	Disco versátil digital regrabable	Puede contener datos, imágenes, música o vídeo. Se puede grabar y borrar tantas veces como sea preciso.

Discos + y - . En el mercado encontrará discos DVD+R y DVD-R o bien discos DVD+RW y DVD-RW. Generalmente, los que llevan el signo - están destinados al ordenador y los que llevan el signo + están destinados a aparatos electrónicos, como grabadores de DVD que funcionan con el televisor. El ordenador utiliza indistintamente todos ellos, pero algunos aparatos electrónicos pueden leer un tipo de discos y/o grabar otro tipo.

Blue Ray. Los discos Blue Ray (se podría traducir por rayo azul) son externamente similares a los discos CD o DVD, pero se distinguen por su alta capacidad de almacenamiento y la elevada calidad de su reproducción. Su nombre se debe a que se graban y leen mediante rayo láser azul, a diferencia de los DVD normales que lo hacen mediante rayo láser rojo. No todos los ordenadores llevan una unidad de CD/DVD que permita leer discos Blue Ray.

Las siglas

La configuración del equipo, es decir, sus características técnicas, se suelen representar mediante expresiones que no se entienden fácilmente, especialmente, siglas como HD, MHz, RAM, GB, TB, etc. La tabla Ap.2 recoge algunas de estas siglas.

Tabla Ap.2. Siglas que indican las características técnicas del ordenador.

Siglas	Significado	Descripción
CPU	Unidad central	La parte del ordenador que contiene el procesador y la memoria.
MHz	Megahercios	La frecuencia del procesador en millones de hercios.
GHz	Gigahercios	La frecuencia del procesador en miles de millones de hercios.
RAM	Memoria	Mantiene "viva" la información mientras el procesador trabaja con ella.
HD o HDD	Disco duro	Almacena la información de manera permanente.
DD	Disco duro	Igual que HD, pero con siglas en español.
KB	Kilobytes	Miles de caracteres.
MB	Megabytes	Millones de caracteres.
GB	Gigabytes	Miles de millones de caracteres.
TB	Terabytes	Billones de caracteres.